歴史学のトリセツ

歴史の見方が変わるとき

小田中直樹 Odanaka naoki

★――ちくまプリマー新書

410

目次＊Contents

イラスト＝宇田川由美子

はじめに——歴史って、面白いですか？

歴史って面白い？

みなさんは、歴史って面白いと思いますか。

こんな質問をすると、当然「はい」という答えと「いいえ」という答えが、両方とも返ってくることでしょう。

問題は、その先です。

つまり「はい」と答えるひとと「いいえ」と答えるひととの比率です。ぼくは、この問題について調べたことはないし、他のひとが実施した調査をみたこともありませんが、たぶん「はい」と答える人の比率はそんなに多くないだろうと思っています。もちろん「歴史ってムチャクチャ面白い」と答えるひと（いわゆる歴オタというやつですね）はそれなりに存在すると思いますが、多数のひとは「いいえ」と答えるんじゃないか、ということです。

そうだとすると、さらにその先に、もうひとつ問題が出てきます。

つまり「歴史って面白い？」という質問に「いいえ」という答えが返ってくるのはなぜか、その原因はなにか、ということです。

この問題を考えるためには、ぼくらがはじめて歴史に出会った場面を思いだすのが有益です。

みなさんのなかには、ご両親が歴オタで、幼稚園の頃から地元の史跡に連れていってもらったとか、小学校の入学祝いに『マンガ世界の歴史』を全巻買ってもらって読んだら夢中になったとか、ひとりで留守番しているときにヒマでテレビをつけたらたまたま「ヒストリー・チャンネル」でフランス革命の特集をやっていて、ぼーっと見ていたらけっこう面白くて引きずりこまれたとか、そんな経験をもっているひともいるかもしれません。

ただし、多くのひとにとって、はじめて歴史に出会うのは、学校の授業の時間だろうと思います。二〇二二年現在では、小学校六年生の社会の時間に日本史の勉強が始まります。中学校でも社会の時間で歴史を学びますが、日本史の内容が詳しくなり、また、世界史の大まかな流れの勉強が始まります。高等学校になると、一八世紀以降の日本史と世界史を組合せた「歴史総合」が必修科目として設定され、そのうえで、二〇二三年からは、より詳しい「世界史探究」と「日本史探究」という科目が選べることになっています。

そして、早いひとでは日本史を扱う中学校の社会の時間に、遅いひとでも高等学校で日本史探究や世界史探究の授業を聞いているうちに、歴史ってあまり面白くないなあと感じるようになる——これが、よくあるパターンじゃないでしょうか。

でも、小中高で歴史を教える先生方は「歴史って面白い」と思っているはずです。だから歴史を教える先生になったはずです。きっと生徒のみなさんにも「歴史って面白い」と思ってもらうことを目指して授業をしているはずです。そして、ぼくがこれまで会ってきた先生方は、多くは、そのためにいろいろな工夫を試みていました。もちろんぼく自身も大学で歴史関係の授業を担当していますが、「歴史って面白い」ということを学生諸君に伝えたいと思いながら授業にのぞんでいます。

「歴史って面白い」と伝えたいから授業をしている

そもそも、歴史学を研究する専門家を歴史学者と呼ぶとすれば、歴史学者は「歴史って面白い」と感じたからこそこの職業を選んだはずであり、また「歴史って面白い」ということを多くのひとびとに知ってもらいたいと思って日々の研究を進めているはずです。

そうだとすると、いったいなにが問題なのか。

そのことを知るためには、歴史学者がこれまでなにをどんなかたちで調べ、明らかにしてきたかを知ることが役に立ちそうです。歴史学の歴史をたどってみる、ということです。

本書のめざすところ

本書では、「歴史の面白さ」を伝えようとする歴史学者の努力という視点を大切にしながら、歴史学が科学として成立し、ひとつの学問領域として制度化された一九世紀から、ぼくらが生きる二一世紀初頭に至るまでの歴史学の歴史を概観します。

そして、現在の歴史学について、そのありようと特徴を明らかにしてみたいと思います。歴史学者は、いったいなにをしているのか。彼らの営みが、専門家としての歴史学者コミュニティの内部や、さらには「象牙《ぞうげ》の塔」と揶揄《やゆ》されてきた大学をはじめとする研究者コミュニティの内部にとどまることなく、ひろく社会一般つまり非専門家のひとびとに届き、リアルなインパクトを与えうるものなのか、あるいは彼らはみずからの研究成果を社会に届けようとしているのか――こういった点を考えてみたいのです。

もちろん、歴史学やそれを担う歴史学者は、過去の事実を取りあつかうという共通点はありますが、さまざまな動機のもと、さまざまな理論にもとづき、さまざまな方法論をもちい、さまざまな対象を分析してきました。そんなわけで、ポイントを絞らずに歴史学の歴史の流れにとびこんだら、川幅が広く、水深も深いので、溺れてしまう可能性が大です。

本書では、歴史学の歴史のなかに登場してきた多種多様な潮流にアプローチするに際して、科学性、スケール（規模、範囲）、記憶との関係、この三つのポイントに着目したいと思います。これは、ぼくが、いまの主流派をなす歴史学が「歴史って面白い」ことを伝えきれていない原因をなしていると考えている三つの特徴（次の章で説明します）

に対応しています。

歴史学の歴史というと、なんだかとっつきにくいような感じがするかもしれません。でも、それをみてゆくと、きっと、歴史が「面白い」とか「いいえ、キッパリ面白くありません」とかいった印象を与える背景がわかってくるはずです。

そして、もしかすると（これはぼくの単なる期待ですが）「キッパリ面白くありません派だったけど、意外と面白いんじゃない？」ということになるかもしれません――が、逆だったらすみません。

第一章　高等学校教科書を読んでみる

原因は高等学校歴史教科書か？

「はじめに」で、多くのみなさんにとって歴史とはじめて出会う場は学校の授業であり、そして、授業では先生方が「歴史って面白い」ことをみなさんに伝えようとして四苦八苦しているんじゃないか、と書きました。

もしも、それでも学校の授業のせいで「歴史って面白くない」と思ってしまうひとがたくさんいるとしたら？

ここで頭に浮かぶのが「教科書」です。つまり、教科書が面白くないんじゃないか、だから、たいていは教科書を使って進められる授業も面白くないんじゃないか、ということです。さて、どうでしょうか。

本章では、こんな疑問を頭にとどめながら、二〇二二年に高等学校に導入された必修科目「歴史総合」の教科書を読み、その特徴をさぐってみたいと思います。

ナショナル・ヒストリーではみえないもの

『現代の歴史総合』と題する高等学校「歴史総合」教科書の一節から始めましょう。ここでは、一八世紀にイギリスで始まった産業革命が、一九世紀になって、ドイツや日本に対してどんな影響を与えたかについて述べられています。ちなみに産業革命とは、この教科書によれば「新しい技術がつぎつぎと開発され、これらが実用化されていった」事象を意味します（『現代の歴史総合』二九頁）。

イギリスで始まった産業革命は、世界各地に多様な影響を与えた……。ドイツでは、イギリスに対抗するため、政治的統一に先がけてドイツ関税同盟が発足（一八三四年）して自国製品の国内市場確保を試み、またプロイセンなど諸邦では科学技術の発達を担う大学の設立が促進されるなど、典型的な政府介入型の産業革命が進められた。同様の事態は、明治維新後の日本にもみられる。（『現代の歴史総合』三二一頁）

まず、ちょっと気になる文言があります。「ドイツ」です。

第二文は「ドイツでは」で始まりますが、すぐあとに「政治的統一に先がけて」とあり、また「プロイセンなど諸邦では」という文言が続きます。実際、ドイツ関税同盟が発足した一八三四年、まだ「ドイツ」という国家は存在しませんでした。

のち（一八七一年）にドイツ帝国となる地域には、プロイセン王国、「自由ハンザ都市」として国家と同格の地位を与えられていた都市ハンブルク、ヘッセン選帝侯国といった、小さな、それも肩書を（王国とか自由ハンザ都市とか選帝侯国とか、ほかにもいろいろあって）異にする国々がひしめきあっていました。肩書が異なっていて列記するのが面倒くさいので、これらをまとめて「邦（複数で諸邦）」と呼んでいるわけです。

まだ存在していない国家を、あたかも存在しているかのように記載してしまう。これは、この文章の筆者の目が「現在」に置かれていることを示しています。たしかに二一世紀を生きる著者の目の前には「ドイツ」という国家が存在しているわけですが、それを、一九世紀半ばという「ドイツ」が存在していない時空間に投影してしまっているのです。

ここから、いったいなにを読みとることができるか。そして読みとるべきか。

まず読みとらなければならないのは「ドイツ」という国家の存在感の強さです。もちろん、この「存在感が強い」という特徴は、ひとり「ドイツ」だけではなく、先の文章に出てくる「イギリス」や「日本」といった国家にもあてはまります。

歴史という時空間をみる際にまずナショナルな単位つまり国家が目に入り、アクターとして動きだす――ぼくらは、国々が主要なアクターとして行動する時空間として歴史を描きだし、あるいは、そのようなものとして歴史を捉える傾向にあるようです。

このような歴史を「ナショナル・ヒストリー」と呼びます。日本語に訳すと「国民史」になると思いますが、「国民史」だと、先に述べたような、さまざまな含意が捉えづらいので、歴史学界では英語のまま「ナショナル・ヒストリー」と呼ぶのが普通です。

でも、国々の歴史だけが歴史なのでしょうか。歴史を作りあげ、歴史を動かしてきた主要なアクターは、国々だけなのでしょうか。

実際には、そもそも国民がいなければ国家はなりたたないし、ひとりひとりの人間がいなければ国民という人間集団もなりたたないわけだから、歴史の主要なアクターはだれよりもまず、さまざまな個性をもった人間だったし、また、そうであるはずです。

ところが、これら多様なひとびとが「国民」としてひとくくりにされ、さらに人格のない「国家」に換骨奪胎され、歴史の主要なアクターとみなされてしまう。「ドイツ」とか「日本」とかいった国家を主語として、歴史が紡がれてゆく――こうしてできあがったのがナショナル・ヒストリーです。

ここで確認しなければならないのは、『現代の歴史総合』は、記述の枠組みとしてナショナル・ヒストリーを採用しているということです。

それでは、国家を主要なアクターとし、国家を主語とする文章が並ぶ歴史は、面白いでしょうか。それとも、無味乾燥でイマイチというべきでしょうか。

いろいろ意見はあるだろうと思いますが、ぼくは「うーむ、ちょっと……」です。だって、過去を生きた人間の顔がみえてこないじゃないですか。

欠如モデルの問題点

ナショナル・ヒストリーの起源や功罪についてはあとでくわしく説明することにして、話を進めましょう。先に引用した文章には、ほかに特徴はないのか、ということです。

ざっと読んでみると、特段の特徴は、ほかにはないような気がします。しかし、心を鬼にして読みかえしてみましょう。要するにあら探しですが、何度か読みかえしていると、ちょっとひっかかる気がしてくるから不思議なものです。どこがひっかかるのか。

高等学校に限らず、学校の教科書には事実が書いてあります。日本の場合、小中高の教科書については文部科学省の検定制度があり、検定に合格しなかった教科書は利用できないことになっています。検定を担当するのは同省の職員である教科書検定官ですが、彼らは担当する教科書の分野について大学や大学院で学んだ専門家です。ですから、検定の基準は、基本的には「事実が書かれているか否か」です。

＊ちなみに、ここで「基本的には」と書いたのは、政治的な思惑が介入する余地が残されているから

です。たとえば、二〇二二年春の教科書検定では「世界史探究」や「日本史探究」の教科書が対象となりましたが、日中戦争・第二次世界大戦期の「従軍慰安婦」という言葉を「慰安婦」に、同時期の朝鮮半島出身者の日本列島への「強制連行」や「連行」という言葉を「動員」や「徴用」に、おのおの修正することが求められました。これは二〇二〇年四月の閣議決定に基づいています。参考までに、先に文章を引用した「歴史総合」教科書が、これらに関係する歴史をどう書いているか確認してみましょう。

「労働力不足のなか、朝鮮人や台湾人、占領地の中国人が日本本土に強制的に動員され、工場や鉱山で働かされた。占領下の東南アジアでも、軍事資源の強引な調達や労務動員、日本語教育や天皇崇拝の強制がおこなわれた。また日本軍は戦地に兵隊の慰安施設を設け、朝鮮・台湾や中国・東南アジアの占領地からも女性を集めて働かせた」(『現代の歴史総合』一三四頁)

たしかに「連行」ではなく「動員」という言葉が使われていますが、その前に「強制的に」という副詞が付いているので、この「動員」が自発的ではないことがわかります。また「従軍慰安婦」という言葉は使われていませんが「日本軍」が「慰安施設」を設置して「占領地」の「女性」を働かせたと記述されていますから、「軍」に「従」って「慰安」する「婦(女性)」つまり「従軍慰安婦」が存在したことがわかります。事実を描く言葉は変わっていますが、描かれている事実は変わっていないのです。

それでは、政治的な思惑が介入することがあるとしても、描かれる事実の基本的な部分が変わらない理由はなにか。それは、これまで幾多の歴史学者がさまざまな資料をもちいて明らかにしてきた結果、多数の歴史学者が過去の事実であると認めているからです。もちろん、今後、新しい資料が発見され、記述されるべき事実が変化する可能性はありますが。

＊たとえば、東南アジアのある元日本占領地域で「天皇崇拝は強制されていなかった」と書かれてある資料がみつかり、歴史学者が内容をチェックして事実だと確認して発表し、他の歴史学者の大多数が「そうだね」と支持するようになったら、先の文章は「占領下の東南アジアでも」から「占領下の東南アジアの一部でも」に変わるかもしれません。

そうだとして、歴史の専門家である歴史学者の大多数が事実と認めたことが書いてある教科書の、どこがひっかかるのか。

いま、ぼくは、教科書には「歴史の専門家である歴史学者の大多数が事実と認めたことが書いてある」と記しました。つまり、教科書は、歴史の専門家である歴史学者が、自分たち歴史学者コミュニティの大多数が事実と認めたことを、歴史の専門家でない生徒や学生のみなさんにむけて「これが事実です」と教えこむ、という構造をもっているわけです。その場合、一方に教科書を執筆する専門家としての歴史学者、他方に教科書を読者として学ぶ（暗記する）非専門家としての生徒や学生のみなさん、この両者がきれいにわかれることになります。もちろん教科書の場合は、執筆者と読者のあいだに、教科書を使って授業をする小中高教員のみなさんが介在しますが、彼らも基本的には教科書に書かれている内容は事実であることを前提として授業を進めるでしょうから、どちらかといえば生徒や学生の側に近いところに位置することになります。

ここで重要なのは、世間では、一般的に「教えるひとと教えられるひとでは、教えるひとのほうが偉い」と考えられていることです。このことは、教科書にもあてはまります。教科書は、専門家である歴史学者が、非専門家である小中高教員や生徒や学生に対して、「これが事実です」という、断定的で、ちょっと上から目線な口調で書かれた本とみなすことができるのです。

科学技術と社会の関係を考える「科学技術社会論（ＳＴＳ）」という学問領域がありますが、科学技術社会論では、専門家と非専門家の関係を「知識を欠如した非専門家に向けて、専門家が知識を与える」ものとして捉えるモデルを「欠如モデル」と呼んでいます。つまり、専門家じゃないひとは専門的な知識が「欠如」している、だから専門家はこの「欠如」している知識を彼らに与える役割を担っている、という考えにもとづいて両者の関係をモデル化したものが欠如モデルです。教科書は、まさにこのモデルにもとづいて作られているわけです。

そして、この場合、非専門家である読者ができることといえば、専門家である著者が書いた文章を「間違いのないもの」として、つまり一種の消費行動として読むことに限られてしまいます。

それでは、専門家によって書かれた事実が並ぶ歴史を一方的に「正しい」知識として受けとることは、面白いでしょうか。それとも、読者ができるのは単なる消費行動としての読書だけなのでイマイチというべきでしょうか。

いろいろ意見はあるだろうと思いますが、ぼくは、ここでもやはり「うーむ、ちょっと……」です。だって「これって本当なんですか?」といった疑問を感じる余地がないじゃないですか。

記憶が排除される背景

これまで何度も例として出してきた『現代の歴史総合』は「歴史総合を学ぶ皆さんへ」という前書きから始まっています。この前書きは、次のような文章で締めくくられています。

そして最終的には、人間社会の近い過去を学び、現在について考えるだけでなく、ぜひとも将来についても思いを馳《は》せてください。皆さんはどのような歴史を作りたいですか。（『現代の歴史総合』一頁）

さて、フランスの古代史学者フランソワ・アルトーグ（一九四六年生）は、これまで歴史学者がとってきたスタンスを三つに分けています。

第一は、過去は教訓にみちあふれており、歴史学の課題はこれら過去の教訓を明らかにすることであると主張する「過去主義」です。

第二は、歴史は「自由、平等、友愛」とか「民主主義と資本主義」とか「社会主義」とかいった特定のゴールにむかって進歩しており、歴史学の課題はこの進歩のプロセスを描きだすことにあると主張する「未来主義」です。

そして第三は、歴史は複数の原因が複数の結果を生みだす因果関係の束であり、歴史学は、個々の歴史学者が、みずからのアクチュアルな（現在にかかわる）問題関心にもとづいて、これら複数の因果関係のなかから「自分が重要だと判断した」ポイントを選びだし、そのメカニズムを分析するという営みである、と主張する「現在主義」です。

それでは、教科書は、これら三つのうち、どのスタンスをとっているのでしょうか。先に引用した文章には「過去に学び」、「現在について考え」、「将来についても思いを馳せて」と、「過去」、「未来（将来）」、「現在」の三つの言葉がすべて入っているので、なかなか判断に困る気がします。

ただし、教科書には、たとえば「ナポレオンのロシア遠征の失敗から得られる教訓は『冬にロシアを攻めるな』である」といった教訓や、「人類の歴史の到達点は自由民主主義である」といったゴールや、「歴史をみる際は、人種や性別といった多様な属性が共存するダイバーシティの発展に着目しよう」といった重視されるべきポイントが、具体的に記されることはありません。

＊高等学校の歴史総合、世界史探究、日本史探究の授業についていえば、教科書の本文や、教科書に載っている図表や絵などの資料をもちいて、教員が生徒に考えさせることが基本的な目標ですから、たとえば過去主義的な側面については「ナポレオンのロシア遠征の失敗から得られる教訓はなにか、という問題について考えてみよう」という課題が授業のなかで出されるというかたちになります。

ここで考えなければならないのは、過去主義にせよ未来主義にせよ現在主義にせよ、それらにもとづいて記された文章は客観的なものなのか、それとも主観的なものなのか、という問題です。

本章の冒頭で引用した『現代の歴史総合』の記述では、ドイツや日本の産業革命に関する事実が、淡々と時系列的に述べられています。一見して、どこからどうみても客観的な文章です。

しかし、ちょっと考えてみると、色々な疑問が生じてきます。

たとえば、イギリスに次いで産業革命を実現したのはベルギーですが、なぜベルギーではなくてドイツと日本なのでしょうか。これは、産業革命の歴史からなんらかの教訓を引出したいという、過去主義にもとづく著者の主観的な意思が介在しているからかもしれません。

また、ドイツ関税同盟の発足を説明する箇所にはわざわざ「政治的統一に先がけて」という文言が付されていますが、ここには、歴史の到達点は「産業革命と政治的統一によって政治的および経済的な力を得た国家」であるという、未来主義にもとづく著者の主観的な解釈が反映されているかもしれません。

そもそも、なぜ産業革命について記述されているかという問題があります。『現代の歴史総合』では、全二五四頁中五頁が外国の産業革命にあてられています。ちなみに、このほか日本の産業革命に四頁が割かれており、教科書全体として産業革命という事実が重視されていることがわかります。これは、教科書の編者が、ぼくらが生きている現代社会の重要な歴史的起源として産業革命を捉えるという、現在主義にもとづく主観的なスタンスをとっているからかもしれません。

日本の産業革命を担った富岡製糸場

つまり、過去の事実に接近するスタンスが過去主義的なものであれ未来主義的なものであれ現在主義的なものであれ、そして、教科書のなかの記述のようにどんなに客観的に記されているようにみえたとしても、歴史は完全に客観的なものではありえない、ということです。むしろ、歴史は主観的なものであるというべきでしょう。

しかし「主観的な歴史」という文言は、ちょっとヘンな感じがします。先に述べたとおり、過去の事実については、専門家である歴史学者が資料などにもとづいて発見し、真偽を確定し、公表し、それを他の歴史学者が検証し、「真」という結果が出たら（とりあえず、ですが）事実として認められる、という手続きがとられているはずです。

この手続きをみると、そこで確定される事実にもとづく歴史は、やはり主観的なものというよりは客観的なものというべきなのではないでしょうか。

また、主観的な過去を表現するためには、もっと良い単語があります。「記憶」です。ぼくらは、過去を個人的な記憶として覚えています。たとえば、二〇一九年末から始まった新型コロナウイルス感染症（COVID—19）パンデミック、二〇一一年の東日本大震災、二〇〇一年の九・一一、一九八九年のベルリンの壁解体といった歴史的な事件を同時代として生きたひとは、それらを実際に体験し、あるいは新聞やニュースでリアルタイムで見たという経験を、記憶として蓄積しています。これらを個人的記憶と呼びますが、もちろん記憶が蓄積されるプロセスは個人的なものですから、個人的記憶は主観的な性格をもっています。

記憶には、もうひとつ、集団的な種類のものがあります。「COVID—19感染者たちの記憶」、「東日本大震災被災者たちの記憶」、「九・一一を目撃したニューヨーク市民たちの記憶」、「ベルリンの壁解体の前後を生きた東ヨーロッパ諸国民たちの記憶」などです。これらを集合的記憶と呼びますが、集合的記憶も、個人的記憶と同じく、主観的な性格をもっています。

記憶は、個人的なものであれ集合的なものであれ、主観的な性格をもっているがゆえに、その記憶をもつひとびとの感情に訴えかけ、彼らの行動を規定し、現実の世界に影響を与える力をそなえています。主観的であるとは「ひとによって違うし、本当か否かはわからない」ということを意味しますが、そうであるがゆえにこそ記憶はアクチュアルであり、リアルな力をもっているわけです。ぼくも先に記した事象をすべて直接間接に経験しましたが、それゆえに、そこから得た記憶はいまも鮮明です。

それでは、こんな特徴をもつ個人的あるいは集合的な記憶は、教科書に記され、あるいは少なくとも反映されているのでしょうか。そうであっても不思議ではありません。教科書の記述の大部分をなす過去の事実はじつは主観的なものであり、その点では記憶と同じ性格をもっているのですから。

ところが、実際にはそうではありません。これまでいくつか紹介してきた教科書からの抜粋をみればわかるとおり、そこに記されているのは、基本的には過去の事実であり、記憶が入りこむ余地はほとんどありません。過去の事実は、専門家である歴史学者による検証を経ている点で、客観的な性格をもっており、したがって「正しい」とみなされているからです。

もちろん、これはフィクションです。先に書いたとおり、過去の事実もまた主観的な性格をもっているからです。しかし、専門家による絶えざる検証を経ている点で、検証を経ていない記憶と比較すれば「より」正しいはずだ、という理由で、過去の事実が教科書の骨格をなしているのです。

それでは、個人や集団の記憶が後景に退き、専門家によって書かれたがゆえに客観的だと自称する事実が並ぶ教科書は、面白いでしょうか。それとも、感情に訴えかける記憶の存在が消去されているのでイマイチというべきでしょうか。

いろいろな意見があると思いますが、ぼくは、三たび「うーむ、ちょっと……」です。だって、自分が生きる現実世界との接点がみつけにくいじゃないですか。

つまらないのにも理由《わけ》がある

これまで、『現代の歴史総合』という高等学校「歴史総合」教科書を例にとり、その特徴を考えてきました。その結果、三つの特徴を見出しました。

そして、これら三つの特徴は、「はじめに」で書いたように、本書で歴史学の歴史をみる際に着目するポイント、つまり科学性、スケール（規模、範囲）、記憶との関係に、それぞれ対応しています。

第一の特徴は、国家それもしばしば現存する国家を、歴史をみる際の単位にして歴史を動かす主要アクターとみなすナショナル・ヒストリーに傾斜していることです。これは、スケールの問題ですよね。

第二の特徴は、専門家である歴史学者が、知識を欠如している非専門家である生徒や学生のみなさん（および、部分的には小中高教員）に対して過去の事実を一方的に教えこむという「欠如モデル」を、意識的にか無意識にか採用していることです。歴史学は科学であり、歴史学が提供する知識は科学性をはらんでおり、だから専門家がいて、非専門家に教えこむ役割を果たしている、ということです。

第三の特徴は、個人的あるいは集合的な記憶を主観的で信用しがたいとして排除し、歴史学者が見出し検証してきたがゆえに客観的な性格をもっていると判断された過去の事実にもとづいて歴史を描きだすことです。歴史学の守備範囲に記憶は入らないと判断しているわけです。

これら三つの特徴は、なにも『現代の歴史総合』に限られたものではありません。小学校から高等学校に至るまでの歴史に関連する教科の教科書は、ほぼすべてが、ナショナル・ヒストリー、欠如モデル、そして記憶の排除という特徴を共有しているといってよいと思います。

ぼくに言わせれば、この三つの特徴をもつ文章は、面白くありません。過去の人々の顔がみえず、専門家が書いているんだから内容は「正しいですよ」と押しつけられているような感じがし、記憶を排除して淡々と事実を書きつらねることによって客観的かつ「漂白」された歴史を提示する本なんて、面白いわけがないじゃないですか。

そして、面白くない教科書をもちいてなされる授業を面白いものにするのは、どんなに力のある教員であっても簡単なことではないはずです。こんな授業が歴史との出会いだったとすれば「歴史って面白い」と思うようになるのは難しいんじゃないか――そう、ぼくは思います。みなさんはどうでしょうか。

しかし。

歴史の教科書を書いているのは歴史の専門家、つまり歴史学者です。彼らは歴史を研究教育することによって生活しているわけですから「歴史って面白い」と思っているはずです。そうだとすれば、教科書を書く際には「歴史って面白い」ということを読者である生徒や学生のみなさんに伝えたいと思っているはずです。

実際、これまでしらを切ってきましたが、ぼくも『現代の歴史総合』の執筆者のひとりであり、本章冒頭に引用した産業革命に関する文章はぼくが書いたものです。あれま。

それなのに、どうして「歴史って面白い」という感覚を伝えられないような文章を教科書に書きつらねてしまうのか。歴史って面白くないと思うひとびとを生みだすことに力を貸してしまうのか。

もちろん、そこには理由があります。

先に述べた三つの特徴は、教科書が立脚している歴史学がひとつの学問領域として、科学として制度化されるプロセスのなかで生まれ、歴史学者コミュニティが無意識のうちに一種の常識として内面化させるようになり、したがって個々の歴史学者は「ちょっとおかしいんじゃないか?」と思ったとしても歴史学者コミュニティのメンバーとして生きるためには受けいれざるをえないような作法（マナー）の一部をなしているからです。あるいはルールといってもよいかもしれません。

これらルールは、科学としての歴史学が誕生し進化するなかで成立し、歴史学者コミュニティのなかで共有されるようになってきました。

すなわち、第一に、欠如モデルは専門家（歴史学者）と非専門家を厳密に区分するところに成立するわけですが、両者の違いは科学としての歴史学に関する知識をもっているか否かに基づいています。

歴史学が科学でなければ、司馬《しば》遼太郎《りょうたろう》（一九二三年〜九六年）や藤沢《ふじさわ》周平《しゅうへい》（一九二七年〜九七年）や塩野《しおの》七生《ななみ》（一九三七年生）や佐藤《さとう》賢一《けんいち》（一九六八年生）といった諸氏が書いてきた小説を読む多数の歴史小説ファンや、テレビの歴史トリビアものを欠かさず観て歴史の知識を得ているひとびとを「非専門家」とみなし、「専門家」が上から目線で教える対象として位置づけることはできなくなります。

欠如モデルは、歴史学は科学であるという評価、いいかえれば歴史学の科学性を肯定するという判断に基づいているのです。

第二に、ナショナル・ヒストリーは、歴史学の分析対象や、歴史上の主要なアクターを、国家、それもしばしば現存する国家を過去に投影したものに求めます。ですから、歴史は、現存する国家が成立するプロセスを追うものとなり、現存する国家の存在を正当化する根拠を与える学問領域として機能することになります。

しかし、分析対象や主要アクターのスケールが国家である必然性はありません。そしてまた、これまでも、多くの歴史学者が、ウイルスや細菌といったミクロな存在から、地域や大陸や海域、さらには地球全体に至る、さまざまなスケールをもった対象の歴史を描きだそうと試みてきました。もっといえば、思想とか心性（メンタリティ）とかいった、スケールがあるようでないような対象を研究する歴史学者もいました。

ナショナル・ヒストリーが採用する単位としての「国家」は、これらさまざまなスケールのひとつにすぎないというべきでしょう。

第三に、歴史学が制度化されてから長いあいだ、歴史学者は、みずからの学問領域は客観的な研究手続きにもとづいた科学であると主張するのが常でした。過去の事実は記憶され、記録されることによって後世に残りますが、このうち記憶については、個人的なものにせよ集団的なものにせよ主観性をはらむため、歴史学の対象から排除されることになりました。

しかし、記憶と歴史は、そう簡単に区別されうるものでしょうか。過去の事実を確定する際に、個人や集団の記憶を利用してはならないのでしょうか。あるいはまた、現代社会に対して歴史がリアルなインパクトをもつ際、それはひとびとの個人的あるいは集合的な記憶を経由するのではないでしょうか。

しばしば、歴史学は主観的な記憶を排除して成立し、客観性を検証された過去の事実にもとづく科学として発展してきたといわれますが、歴史学における「記憶の排除」は事実なのでしょうか。あるいは、望ましいことなのでしょうか。

＊　＊　＊

ここからわかることはなにか。

それは、「歴史って面白い」ってことをうまく伝えられない理由について知りたいのであれば、そのバックグラウンドをなす「歴史学の歴史」をかえりみることが有益だし、必要なんじゃないか、ということです。

もちろん歴史学者のなかには、「歴史って面白い」ことを伝えたいという気持ちから、ナショナル・ヒストリー、欠如モデル、記憶の排除をはじめとする既存の作法を否定したり、換骨奪胎したり、あるいはそれらにとって代わる新しい作法を提示したりしてきたひとたちもいます。これら歴史学者の努力もまた、歴史学の歴史の一部をなしています。

それでは、そろそろ歴史学の歴史、いいかえれば歴史学者たちの努力の歴史をみてゆくことにしましょうか。「歴史って面白い?」という問いを手放すことなく。

なお、もちろん歴史学の歴史に関する前提知識は要りません——というよりも、もしもそんな知識をもっていたら、本書を読む必要はないですよね。

第二章　「歴史を学ぶ」とはどういうことか

歴史学の父といえば？

歴史学はいつ成立したのか。

とりあえずこの問いから始めましょう。

この問いとよく似たものとして「歴史学の父はだれか？」というものがあります。そして、この問いに対する答えとしてしばしば出てくるのが、高等学校で世界史を勉強したひとだったら耳にしたことがあるはずのヘロドトス、トゥキュディデス、司馬遷《しばせん》です。

ヘロドトスは、紀元前五世紀のギリシアで活動した執筆家であり、ペルシア戦争（紀元前四九二年～同四四九年）を題材とする書『歴史』を著しました。ペルシア戦争は彼が生きている時代に生じましたから、『歴史』は同時代史の書だといえます。

トゥキュディデスは、紀元前五世紀から同四世紀にかけてギリシアで活動した執筆家

「歴史」に残されたペルシア戦争

で、ペロポネソス戦争（紀元前四三一年〜同四〇四年）を題材とする書を著したことで知られています。この本は、のちに『戦史』とか『歴史』とかといった名で知られることになりました。彼はペロポネソス戦争に従軍していますから、彼もまた同時代史を描こうとしたといってよいでしょう。

最後に出てきた司馬遷は、紀元前二世紀から同一世紀の中国（前漢時代）で活動した執筆家です。彼は王朝の歴史を編纂《へんさん》する役人を輩出する家系に生まれ、伝説時代から自分が生きている時代までをカバーする書『史記』を著しました。

彼らののち、世界各地では、過去を記述

するという意味での「歴史書」が数多く書かれるようになりました。

とくに中国では、『史記』以降、各王朝がそれ以前の王朝の歴史を編纂して刊行する「正史」と呼ばれる歴史書が書かれるようになり、今日に至っています。ちなみに最後の王朝となった清の正史『清史』については、中華民国（台湾）で一九六一年に編纂が終わって刊行されたのに対して、中華人民共和国（中国）では現在別の版が編纂の最終段階に入っているといわれています。台湾と中国で別々の『清史』が編纂されているという事態からは、正史の編纂や刊行が「自分たちの政権は、これまで中国を支配してきた王朝や政権に続く存在である」こと、つまり自分たちの支配の正統性を証明する事業とみなされていることがわかります。

ただし。

ここまで古代ギリシアや中国の話をしてきたのに「ちゃぶ台がえし」をするようでなんですが、今日の歴史学者に「あなたがたずさわっている歴史学という学問領域の父はだれですか?」と聞いたら、返ってくる答えは、おそらくヘロドトスでもトゥキュディデスでも司馬遷でもないでしょう。たいていは、一九世紀の歴史学者レオポルト・フォ

ランケ

ン・ランケ（一七九五年〜一八八六年）の名前が出てくるはずです。

ランケはドイツ諸邦のひとつザクセンに位置する町ヴィーエに生まれ、ライプツィヒ大学（ザクセン）で学んだあと、一八二五年から一八七一年まで、半世紀近くにわたってベルリン大学（プロイセン）で助教授のち教授として歴史学を教えました。

それにしても、なぜヘロドトスでもトゥキュディデスでも司馬遷でもなくてランケが、歴史学者にとっては「歴史学の父」なのでしょうか。大体において、彼の代表作は『一四九四年から一五一四年までのラテンおよびゲルマン諸民族の歴史』（一八二四年）という著作ですが、こんな本の名前を知ってるひとは少ないでしょうし、読んだことがあるひとはさらに少ないでしょう（ぼくも読んでいません）。そんな、一般には無名な人物だというのに。

実証主義と「記憶の排除」

ランケのスタンスを一言で表現する言葉があります。

「それは実際いかなるものだったか（wie es eigentlich gewesen）」。

これは彼自身がその著書のなかで記した文言であり、そこで彼は、歴史学は「それは実際いかなるものだったか」を明らかにする学問領域であると主張しました。この言葉をもって、現在まで続く歴史学が始まります。

「それは実際いかなるものだったか」を明らかにすることを目指す立場を「実証主義」と呼びます。ランケは、歴史学は実証主義的な学問領域でなければならないと主張しました。そして、実証主義的な歴史学は、今日に至るまで、歴史学の主流をなしています。

「それは実際いかなるものだったか」とは、過去の事実のことです。過去の事実は、万人が「そうそう、そうだよね」と納得する、つまり客観的なものでなければなりません。

でも通常は、過去に生じた出来事は、ひとびとに「記憶」されることによって後世に伝えられます。ところが記憶は、個人的な記憶の場合はきわめてパーソナルなものであり、ある集団が共有している集合的な記憶の場合も他の集団からみれば「それって違うんじゃない？」といわれてもおかしくない、その意味で両者ともに主観的なものです。だから、実証主義的な歴史学は、過去の事実を明らかにするにあたって記憶に頼ることはできません。

ここから、歴史学における「記憶の排除」という現象が生じます。実証主義は「記憶の排除」につながっているのです。

公文書至上主義とナショナル・ヒストリー

それでは、過去の事実を明らかにする際には、なにに頼ればよいのか。

それは、その事実に関する資料です。資料はたいていは文書（文書資料）のかたちをとりますが、この資料は、なるべくその事実が生じたのと近い時期、できればその事実と同じ時期に記されたものであることが望ましいとされています。資料を作成したひとが事実をよく覚えていて、詳細に、そして正確に記録したことが期待できるからです。

たとえば明治維新について、同時代人である福澤諭吉《ふくざわゆきち》が書いたものと、それから一世紀半たった今日に暮らすぼくが書いたものを比較すれば、福澤の文章のほうが詳細で正確だと評価できるのではないでしょうか。

また、市井に暮らす一般のひとびとが遺《のこ》した資料よりは、政府や王朝をはじめとする公的機関やそこに勤務するひとびと、つまり現代風にいえば公務員がのこした資料のほうが、信頼性が高いと考えられます。前者を私文書、後者つまり公的に作成された文書のことを公文書と呼びますが、過去の事実にアプローチする際の資料としては、私文書よりは公文書のほうが価値が高いということです。

なぜか。

それは、私文書にはしばしば文書を作成したひとの気持ちや感情が混ざりこんでいて主観的な性格が強いのに対して、公文書は客観的に書かれているからです。市役所の稟《りん》議書《ぎしょ》や、都道府県庁の決裁文書を思いおこせば、そのことは容易に想像できると思います。

そして、歴史学の課題が「それは実際いかなるものだったか」つまり過去に生じた事実を明らかにすることにある以上、この課題を解決するための作業の出発点をなす資料はなるべく客観的なものでなければなりません。ここから、私文書よりも公文書を重視する傾向が生じることになります。

もちろん、資料は文書、つまり紙に書かれたものでなければならないという理由はありません。いまならデジタル化された資料や、オーディオ・ビジュアル資料も「あり」でしょう。それが公的な性格をもっていれば、ですが。

あるいは、ちょっと前に生じて、経験したり目撃したりしたひとが生存しているような事実の場合、彼らにインタビューすることも可能でしょう。こうして得られた証言を口述資料と呼びます。

ただし、ランケの時代には、デジタル資料やオーディオ・ビジュアル資料は存在しませんでした。また、口述資料は、証人の記憶に基づくところが大きく、そのため証人の主観によって内容が左右されがちであるため、文書資料に比べると客観性が低いとみなされることになりました。

こうして、歴史学の出発点をなす資料については、口述資料よりは文書資料、私文書よりは公文書を重視し、したがって「おもに公文書を資料にもちいて過去の事実を明らかにすることが望ましい」というスタンスが生まれます。これを、本書では公文書至上主義と呼ぶことにします。

公文書を作成するのは、たいていは国家の諸機関です。そのため、公文書をもちいて過去の事実にアプローチしてゆくと、そこでできあがる記述はナショナル・ヒストリーの色彩が強くなります。つまり、研究の対象の空間的なスケールは一国、主要なアクターとして登場するのは国家とか国家諸機関とか国家指導者、という特徴をもった研究です。

さらに言えば、ナショナル・ヒストリーは国家の存在を自明視して分析を進めますから、その国家を意識的にか無意識にか肯定的に評価する傾向にあります。

公文書至上主義はナショナル・ヒストリーにつながってゆくのです。

資料批判と欠如モデル

それでは、公文書を中心とする資料をもちいて、どうやって過去の事実、ランケの言葉をもちいれば「それは実際いかなるものだったか」にアプローチすればよいか。

歴史学者のしごとの第一歩は、知りたい過去の事実について書かれた資料を探し、みつけることです。

この仕事にかかる労力は、知りたい事実の性格によっても違うし、また対象となる時代や地域によっても異なります。

古代や中世といった古い時代だと、残っている資料が少ないため、文書資料だったらかなりの部分がのちの時代に資料集としてまとめられて公刊されており、わりと容易にアクセスできます。

一九世紀になると、公文書をはじめとする文書資料や、近年ではデジタル資料やオーディオ・ビジュアル資料を収集し、ひろく閲覧に供する文書館（アーカイヴ・センター）が、世界各地で設置されるようになりました。

文書館がどれくらい設置されているかは、国や地域によって異なります。たとえば、ぼくが研究対象としているフランスでは、フランス革命期に制定された諸々の法令にもとづき、パリ近郊に国立中央文書館が設置されているほか、すべての県と市町村に文書館の設置が義務づけられています。とりあえずこれら文書館のどれかに行ってみれば、中央行政あるいは当該の県や市町村にかかわる公文書や、預託された私文書を自由にみることが可能です。これに対して日本では、フランスの国立中央文書館に相当する国立公文書館は存在しますが、県や市町村単位で文書館が設置されているところはけっして多くありません。そもそも、これら文書館の法的な根拠となる公文書法が制定されたのは一九八七年、フランスに比べて二世紀遅れています。あれま。

資料は、それが公文書であれ私文書であれ口述資料であれ、書いてあることが全部正しいわけではありません。どんな資料でも、そこには正しい記述と正しくない記述が混在しています。それは、資料作成者の記憶違いが原因かもしれないし、意図的に間違ったことを書いたからかもしれないし、資料のもとになった資料があるとして、それが間違っていたせいかもしれません。その意味で、ほとんどの資料は玉石混交です。

歴史学者のしごとの第二歩は、両者を分別すること、つまり資料の記述を「正しい部分」と「間違った部分」にわけることです。歴史学者のしごとのかなりの時間は、この作業に費やされます。

たとえば、目の前に一九世紀はじめにフランス軍の将校がナポレオン・ボナパルト

（一七六九年～一八二一年）に宛てて書いた報告書があり、そこに「わが軍は敵を三〇〇〇人倒した。これに対して、わが軍の被害は一〇人にすぎない」という（ぼくが適当に思いついた）記述があるとして、「三〇〇〇人倒した」や「被害は一〇人」は本当か、あるいは「倒した」とか「被害」とかいう文言はなにを意味しているか、といった問題を考えなければならない、ということです。

資料の記述の正誤は、その資料だけをじっとにらんでいてもわかりません。先に例として出した（ホンモノではありませんが）報告書だったら、戦況報告書という性格からして、自軍の被害は少なく、敵軍の被害は大きく書く傾向があります。そのほうが上官（この場合はナポレオン）の覚えが、とりあえずめでたくなるからです。

本当に一〇人の被害を出しただけで三〇〇〇人を倒したのか。それを知るには、他の資料と突きあわせることが必要になります。いちばんよいのは、同じ戦いについて敵軍が書いた戦況報告書でしょうか。ただし、敵軍の戦況報告書にも、フランス軍の報告書と同様に、自軍の被害は少なく、敵軍（この場合はフランス軍）の被害は大きく書く傾向があります。自軍の報告書も敵軍の報告書も、どちらも主観が混ざったものなのです。

ですから、歴史学者は、主観的な報告書同士を比較し、どちらのどこがどれぐらい正しいかを判断し、判断しきれなければ他の資料を探し、その記述内容を突きあわせて検討し、それでも正誤を判断しきれない部分については他の資料を探し……という作業を続けることになります。この作業を「資料批判」と呼びます。

資料批判は、可能なかぎり確実に「正しい部分」と「間違った部分」が区別できるところまで続けなければなりません。時間がかかるのはそのためです。

そして歴史学者のしごとの第三歩ですが、これは、おのおのの資料のなかで過去の事実について正しいことが書いてある部分を組みあわせ、そこから得られた知見にもとづいて「それは実際いかなるものだったか」を記述することになります。

第一に、資料を収集すること。

第二に、資料批判をすること。

第三に、正しいと判断した資料（の部分）にもとづいて、過去の事実を記述すること。

この三つのステップが、ランケが提唱し、その後長いあいだ歴史学者たちが受容してきた歴史学者のしごとの手順です。

このように、歴史学の特徴を明示し、歴史学者のしごとの手順を提唱したことにより、ランケは近年まで続く歴史学の土台を構築しました。

彼にとって、歴史学とは、過去の事実を明らかにするという研究目的を達成すべく、資料という研究対象をもちい、資料収集、資料批判、事実記述という研究手続きを踏む、という学問領域でした。

明確な研究目的、研究対象、そして研究手続きをもつ学問領域は、科学と呼んでさしつかえないでしょう。ランケは、歴史学はひとつの科学であると主張し、すなわち科学としての歴史学を提唱し、その具体的な姿を提示しました。それゆえ、彼以降の歴史学者にとって、ランケは「科学としての歴史学の父」とみなされることになったのです。ただし、資料批判を中核とする科学としての歴史学のしごとをこなすには、専門家としての訓練をつむことが必要になります。これはつまり、歴史学にたずさわれるのは歴史学者だけだということです。歴史学者が過去の事実を明らかにし、それを非専門家である一般のひとびとに教えるというのは、これは典型的な欠如モデルです。

資料批判を中核とする研究手続きを採用することにより、歴史学は欠如モデルを導入することになったのです。

科学としての歴史学の功罪

「それは実際いかなるものだったか」を明らかにするという研究目的は、歴史学にとっては当然のことのように思えます。そのためには、公文書をはじめとした信頼のおける資料を研究対象とする、という判断も、科学としては当然だという感じがします。そして、それら突きあわせて真偽を確定し、正しいと確認された部分だけを根拠としてもちいるという研究手続きも、歴史学が利用できる手続きとしては適切じゃないかという気がします。

もっとも、こうして明らかにされた過去の事実が、じつは間違っていたということもありえます。間違っていることを指摘するのは、たいていは本人ではなく、別の歴史学者です。どんなに頑張って、可能なかぎり適切な研究対象や研究手段をもちいて過去の事実を明らかにしたと主張したとしても、さまざまな批判が寄せられる可能性は残ります。たとえば

「その資料はニセモノなんじゃないか？」
「新しい資料がみつかったけど、それと突きあわせると別の解釈が可能じゃないか？」
「その『産業革命』という言葉の理解は間違っているんじゃないか？」
などです。

その場合、どうすればよいか。

じつは、こういった批判は、批判された当の歴史学者にとってはうれしいものではないかもしれませんが、科学としての歴史学にとってはきわめて有益です。ウェルカムです。資料の真贋《しんがん》が問題になったら、資料の真贋を明らかにするという新しい研究目的ができあがります。別の解釈が提示されたら、どちらの解釈がより正しいかについて歴史学者のあいだで議論する場が生じます。文言の意味について疑念が呈された場合も、歴史学者たちで討論すればよいだけです。いずれにせよ、ある研究の成果に対する批判は「それは実際いかなるものだったか」に一層接近できる可能性をひらくのです。

このことは、科学としての歴史学は、ひとりの歴史学者ではなく、複数の歴史学者すなわち歴史学者コミュニティによって担われているし、また、担われるべきだ、ということを意味しています。

ひとりで研究しても、「独学のひと」という言葉があるとおり、すごい研究成果をあげる学者は存在するでしょう。でも、先にみたとおり、複数の学者が他者の研究を批判的に吟味するという意味で協働したほうが、たいていは研究目的に到達しやすい、ということができます。

このことは、歴史学についても妥当します。ヘロドトスもトゥキュディデスも司馬遷も、おそらくはひとりで研究を進め、おのおの大著をなしたことでしょう。これに対してランケは、ベルリン大学で、自分の弟子など複数の歴史学者が特定のテーマや資料について議論しあうゼミナール（演習）という教育方式を導入しました。ここに科学としての歴史学の特徴と、とりわけ長所をみてとることができます。

もちろん、科学としての歴史学に短所がないというわけではありません。その最大のものは「面白くない」ということでしょう。

科学としての歴史学の研究目的、研究対象、研究手続きをもちいると、研究成果としての歴史記述は次のようなものになります。お題は、いつもフランスですみませんが

「ナポレオンの嫡子」、内容はぼくが適当に思いついたものです。

この研究の目的はナポレオンの嫡子の生涯を明らかにすることである。資料としては、フランス中央文書館所蔵のナポレオン関係公文書をもちいる。同文書を分析した結果、ナポレオンには嫡子がひとりいたが、一八三二年ウィーンで病死したと結論できる。

こんな感じです。科学に面白さを求めるのは筋違いかもしれませんが、それにしても、この無味乾燥な味気なさ。これでは、歴史って面白いと思うひとは少ないといわれても、それはそうだよなあという気しか生じない――そう思うのは、ひとり、先の文章を書いた張本人であるぼくだけでしょうか。

ランケ以後の歴史学

それでも、歴史学はひとつの科学であるというランケの主張は、多くの歴史学者の支持を得ることになりました。それは、彼が活躍した一九世紀が「科学の時代」だったということを反映しています。

一八世紀にイギリスで始まった産業革命は、一九世紀に入ると、ヨーロッパ諸国に広まりました。その際、先行者イギリスに追いつくために技術革新を急がなければならないこれら諸国は、大学など高等教育機関で、科学や、それにもとづく技術を教授することによって、一気に科学者を養成する、という戦略をとります。そのなかで「科学」のステイタスは上昇し、産業革命とは特段の関係がなさそうな歴史学も、高等教育機関で教えられるべき学問領域であることを証明しようとして「科学」を自称することになります。ランケの主張は、時代の雰囲気にぴったりとフィットしていました。

かくして、実証主義、公文書至上主義、そして資料批判を三本の柱とする科学としての歴史学は、ランケが活躍したプロイセン（のちドイツ）のみならず世界各地に広まってゆきます。

日本もその例に漏れません。開国と明治維新を経て欧米諸国との国力の差を痛感し、世界が「科学の時代」に入っていたことを認識した政府は、高等教育機関の創設を急ぎます。維新から一〇年もたたないうちに法・理・文・医の四学部をもつ東京大学を設立（一八七七年）し、さらに一八八六年には工学部をもつ総合大学たる東京帝国大学に改組しました。

この年、同大文学部は史学科を設置することを決定し、初代教員として、ベルリン大学におけるランケの弟子ルートヴィヒ・リース（一八六一年～一九二八年）を招きました。翌年日本に到着したリースは、ランケゆずりの教育をおこない、また歴史学者たちが集まって研究成果の発表と議論をおこなう場である学会（史学会）を組織することにより、日本に科学としての歴史学が根付くきっかけを作りました。

もちろん、だからといって、すべての歴史学者がランケ流の（以後「ランケ学派」と呼びます）科学としての歴史学を受容したわけではありません。

おなじく「科学としての歴史学」を標榜《ひょうぼう》しつつも、「科学」という文言に別の意味を込めた歴史学を提唱したひとびととしては、たとえば、一九世紀の思想家にして社会活動家カール・マルクス（一八一八年～八三年）の所説にもとづいて歴史を解釈するマルクス主義（あるいは社会主義）歴史学という潮流をなした歴史学者たちがあげられます。

彼らは、第一に、経済とりわけ生産システムのありかたが文化や政治のありかたを決めること、第二に、生産システムのありかたは、歴史的にみると、奴隷制度、奴隷と自由な農民との中間的な存在である農奴を領主が労働させる農奴制度、資本家が労働者を雇って労働させる資本主義、そして、万人が労働する社会主義へと変化してゆくこと、この二点を科学的な真理として提示し、これら真理にもとづいて歴史を分析すべきことを唱えました。

社会主義という未来への道程として歴史を捉えるマルクス主義歴史学は、アルトーグいうところの未来主義というスタンスをとる歴史学の典型ですが、「ホントかよ?」という疑念を生む一方で、「ホントかもなあ」という説得力をそなえていたため、かなりの歴史学者に影響を与えることになります。

その一方で、歴史学は科学ではないと主張したり、科学性ということをとくに意識せずに歴史の研究に従事したりする歴史学者たちもいました。

たとえば、一九世紀にバーゼル(スイス)で活躍した歴史学者ヤーコプ・ブルクハルト(一八一八年〜九七年)は、ある時代をとりあげ、その文化的な雰囲気を総体として捉えることを研究目的とし、のちに「文化史学」と呼ばれる潮流の祖とみなされることになります。

それにしても、ここまでで、すでに「ある時代」とか「文化的な雰囲気」とか「総体として」とか曖昧な文言が頻出していて、科学という感じがしないぞと思うかもしれません。

ただし、彼の所説の特徴は、なによりもまず研究手続きにあります。たとえば、彼は、古代ギリシア時代の文化的な雰囲気の総体に対しては、科学としての歴史学が提示する手続きではアクセスできないと主張します。その代わりに彼が提示するのは、個々の歴史学者の「直観（Anschauung）」から出発して研究対象にアプローチするという手続きです。この「直観」というのは主観的なものであり、だれがどうみても科学からは遠い存在といわざるをえないでしょう。

でも、直観から始めるという手続きには、なんとなくワクワクさせるものがありませんか？ また、そもそも研究テーマを決定するに際して、世界にあまたある資料のなかから「これは重要だからチェックしなきゃいけない」と判断するに際して、あるいは分析の結果を論文や本にまとめるときにどんな言葉を使うかを選ぶに際して、歴史学者の個人的な直観は働かないのでしょうか（いや、働いているはずです）。そのため、科学としての歴史学の客観性に対して疑念が寄せられるようになると、彼の所説を再評価すべきだという声があがることになります。

それでも、一九世紀から二〇世紀前半にかけて、世界各地で、ランケ学派の歴史学が歴史学界の主流を占めてゆくという流れがとどまることはありませんでした。マルクス主義歴史学や、ブルクハルトの流れをくむ文化史学は、非主流派として存続してゆきます。そして、ランケ学派の歴史学は、いまでも歴史学界における主流派をなしています。

日本についていえば、リースが初代教員として着任した東京帝国大学文学部史学科と、同学科を母体として成立した学会である史学会は、実証主義、公文書至上主義、そして資料批判を中核的な構成要素とする科学としての歴史学に従事する歴史学者を養成し、あるいは彼らが知見を交換しあう場として機能することになりました。

リースに次いで同学科に着任した重野《しげの》安繹《やすつぐ》（一八二七年～一九一〇年）や久米《くめ》邦武《くにたけ》（一八三九年～一九三一年）など日本人歴史学者は、リースがもたらした当時最先端の科学としての歴史学を受容し、それまで事実とされてきた日本史上の逸話の正否を次々と検証してゆきます。

重野は、南北朝時代の後醍醐《ごだいご》天皇の忠臣・児島高徳《こじまたかのり》の存在を否定するなど、逸話を次々と否定して「抹殺博士」の異名をとりました。久米は、一八九一年、「神道ハ祭天ノ古俗」という論文を史学会の機関誌『史学会雑誌』に発表して戦前日本の土台をなす国家神道制度をめぐる大論争を引きおこし、結局大学を追われました。

それでも、日本の歴史学界は、第二次世界大戦直前から戦中にかけての一時期を除き、ランケ学派の歴史学が主流を占めつづけ、近年に至っています。

そんな環境で育った歴史学者が書いた教科書が無味乾燥で味気なくて、歴史って面白いなあと思わせないものになってしまうのは、これはやむをえないことかもしれません。

＊　＊　＊

ランケと彼の弟子たち、つまりランケ学派は、実証主義、公文書至上主義、そして資料批判を中核とし、記憶の排除、ナショナル・ヒストリー、欠如モデルを特徴とする歴史学の潮流を作りあげ、これこそ科学としての歴史学であると自称しました。これ以降、歴史学者たちは「自分たちは科学してるんだ！」という自信をもって研究に邁進《まいしん》できるようになりました。

でも、歴史学者じゃないひとびとからすれば、それってどうでもよいことなんじゃないでしょうか。むしろ、ランケ学派歴史学のアウトプットがイマイチ魅力に欠け、面白くなかったことのほうが問題です。なにしろ過去のひとびとの顔がみえず、専門家が上から目線で書きしるし、記憶を排除して淡々と事実だけが書きつらねられた文章なんですから。

ただし。

科学としての歴史学が、ランケが活躍した時期以来二世紀近くまったく変化しなかったというわけではありません。二〇世紀に入ってしばらくすると、とりわけ一九七〇年代に入るや、歴史学はおおきく変化しはじめることになります。

第三章　歴史のかたちはひとつだけじゃない

科学としての歴史学は良いとして

二〇世紀に入ってしばらくすると、ランケ学派の歴史学に不満や物足りなさを覚え、別のかたちで過去にアプローチしようとする歴史学者たちが各地で登場します。彼らは、歴史学は科学であるというランケの基本的な主張は共有しつつ、研究の具体的な目的、対象、手続きについて、ランケ学派が提示した実証主義、公文書至上主義、そして資料批判とは異なるものを採用しようと試みました。

こうして、歴史学という学問領域は変化の胎動を始めます。

アナール学派の成立——フランス

一九二九年。

フェーヴル

ブロック

第一世界大戦の結果ドイツからフランスに返還されていたアルザス地方の中心都市ストラスブールにあるストラスブール大学で教えていた二人の歴史学者リュシアン・フェーヴル（一八七八年〜一九五六年）とマルク・ブロック（一八八六年〜一九四四年）が『社会経済史年報』という学術誌を発刊します。

フェーヴルは、ブルクハルトを想起させる文化史の専門家として出発し、たとえば一六世紀ヨーロッパに生きたひとびとの心性や感性やものの考えかたを、総体として、つまり「まるごと」捉えようとしました。ブロックは、フランスの一地方の社会や経済の歴史を分析する社会経済史学者として研究生活を開始しますが、のちには英語で「ロイヤルタッチ」と呼ばれる民間伝承（結核性頸部《けいぶ》リンパ節炎患者に国王が触れると、同病が快癒するという伝承）の歴史に関する大著を著すなど、社会経済史にとどまらない「まるごとの歴史」の研究にのりだします。

そして、これら「まるごとの歴史」を試みるなかで、彼らはランケ学派歴史学に対する不満を感じ、批判として体系化することになりました。

彼らの批判は、なによりもまず、ランケやランケ学派による実証主義の定義にむけられました。フェーブルやブロックも「それは実際いかなるものだったか」を明らかにすることが歴史学者の研究のゴールであることを否定するわけではありません。問題は研究のスタート地点、つまり「それ」の選択でした。

ランケ学派によれば「それ」を決めるのは資料です。公文書をはじめとする資料がなければ歴史学者の研究は不可能ですから、そう考えるのは当然かもしれません。

しかし、フェーヴルとブロックによれば、「それ」を選択するのは、なによりもまず歴史学者の「問題関心」でした。資料は、とりわけ近現代になれば、大量に存在するわけですから、資料があることは研究を開始する十分条件ではありますが、必要条件とはなりえません。大量に存在する資料が示唆する大量の「それ」のなかから自分の研究テーマを選択するのは、自分の問題関心にほかなりません。自分の問題関心をもって資料に問いかけることから、歴史学者の研究は始まるのです。

資料をじっとみていても、資料はなにも語ってくれない。その意味で、歴史学は「問題史」つまり資料の観察ではなく解釈をする学問領域であり、その点において科学を名乗る資格をもつ——彼らはそう主張し、歴史学界に大きなインパクトを与えました。

彼らが創刊した学術誌『社会経済史年報』の誌名のうち「年報」はフランス語で「アナール（Annales）」といいますが、この通称『アナール』（一九四六年に正式名称となります）に集う歴史学者たちは、第二次世界大戦を経て「アナール学派」と呼ばれる潮流を生みだしてゆきます。

労働史学の誕生——イギリス

第二次世界大戦は総力戦であり、貧富、職業、性別の差なくすべてのひとが戦争当事者となりました。とりわけ、従軍する兵士の数が膨大なものとなったため、貧しいひとびとが兵士の中枢を占めることになりました。本書では、彼らを「民衆」と呼ぶことにしますが、戦争が終わると、とりわけ戦勝国では、勝利にたいする貢献に報い、あるいは次の戦争にそなえるべく、民衆に配慮する政策が必要となりました。

こうして、戦勝国イギリスを出発点として誕生したのが福祉国家です。福祉国家とは、上流層から民衆に至るまで、すべての国民の健康で文化的な生活を「ゆりかごから墓場まで」（イギリス福祉国家のスローガン）保証する制度、すなわち出産手当、健康保険、失業保険、公的扶助、老齢年金といった手段を組みあわせた社会保障制度をそなえた国家のことです。

福祉国家の成立は、歴史学の領域では、民衆に対する関心が高まるという現象をもたらしました。福祉国家の担い手にして対象となった民衆という社会階層は、いかに生まれ、どんな性格をもち、いかにして政治、経済、あるいは社会のアクターとなったのか、といった問題が、歴史学者の関心をひくようになったのです。

欧米など先進国では、資本主義の発展とともに、民衆の大部分は工場で賃金を得て働く「労働者」となっていました。そのため、民衆に対する関心は、まずは労働者の歴史への関心として生じました。これを労働史学（labor history）と呼びます。

本格的な労働史学は、戦後しばらく経った一九五〇年代にイギリスで始まりました。イギリスが産業革命の故地であり、第二次世界大戦の戦勝国であり、また最初の福祉国家だったことを考えあわせれば、それも当然のことだったといえるかもしれません。

イギリス労働史学の記念碑的な著作としては、エドワード・P・トムスン（一九二四年～九三年）『イングランド労働者階級の形成』（一九六三年）があげられます。トムスンは、イギリス産業革命を経て労働者となったひとびとがいかにして「自分は労働者なんだ」という意識（労働者意識）を得るに至ったかを明らかにすることを主要な課題として設定し、政治、経済、社会、文化など、さまざまな側面からこの課題にアプローチしました。

しかし、考えてみると、労働者をはじめとする民衆は、たいていは記録には残りません。つまり、公文書には姿が出てこないのです。ストライキなど特別な出来事が生じて政府や行政機関（とくに警察）の関心をひかないかぎり、労働者が公文書に登場することは期待できません。また、その場合でも、公文書に出てくるのは労働組合などに結集した「労働者たち」であり、ひとりひとりの「労働者個人」が公文書に記されることはほとんどありえないでしょう。残っているとすれば、それは彼らの「記憶」です。

これはつまり、ランケ学派の歴史学の特徴のひとつをなす「記憶の排除」に頼っていては、労働史は研究できない、ということです。

トムスンは、労働者がみずから記した手紙、日記、あるいは労働組合の記録、さらには当時の労働者が好んだ詩など、私文書を含め、ありとあらゆる資料をもちいて労働者とりわけ彼らの意識に接近しようとしました。その試行錯誤の結果が、先にあげた本です。

トムスンの本をはじめとするイギリス労働史学の成果は、ただちに他の諸国の歴史学者の関心をひき、各地で労働者をはじめとする民衆の歴史の研究が始まります。

こうして、労働者など民衆の生活や意識などは歴史学の重要な研究対象であることが、歴史学者コミュニティのコンセンサスとなりました。そのことは、同時に、「記憶の排除」には限界があるとして、ランケ学派歴史学を批判するスタンスが歴史学者のあいだに広まってゆくことを意味していました。

そりゃそうですよね。ぼくはフランス史研究を専門としていますが、フランスの文書館に行って民衆の声が記された公文書を探しても、なかなかみつからないのが普通です。以前、知人の歴史学者にいわれたのは、大略「そりゃ裁判資料だよ」でした。民衆はギリギリの生活をしているので、たとえば厳冬になると、裏山の他人の木を勝手に切って薪木にしようとして警察にみつかり、捕まって裁判の被告になることがあります。裁判では被告尋問がなされるわけですが、尋問は被告のことばがそのまま記録されるので、民衆の生の声にアクセスできます。でも、裁判資料って膨大で……尋問記録はその、ほんの一部でしかなく……。

世界システム論——アメリカ合衆国

おなじころ、アメリカ合衆国（以後、合衆国）でも、のちに歴史学に大きな影響を与えることになる知的な潮流が産声を上げようとしていました。社会学者というか、政治学者というか、経済学者というか、歴史学者というか、そのすべてでもあるというか、とにかく知的な守備範囲の広さで「知識人」と呼ぶにふさわしいイマニュエル・ウォーラーステイン（一九三〇年～二〇一九年）が提唱した「世界システム論」です。

世界システム論を語るには、フランスのアナール学派の動向に回り道をしなければなりません。先に記したとおり、同学派はフェーヴルとブロックという二人の歴史学者によって創設されました。しかし、第二次世界大戦後になると世代交代が生じ、あらたにエルネスト・ラブルース（一八九五年～一九八八年）とフェルナン・ブローデル（一九〇二年～八五年）という二人の指導者が登場します。

ウォーラーステイン

彼らに共通していたのは、分析対象の空間的なスケールに対する強烈な関心です。ラブルースは県や地方という国家内部の比較的狭い単位を対象とし、その空間の内部における政治、経済、社会、文化などすべての側面を把握する「まるごとの歴史」を実践することを唱えました。これに対してブローデルは、地中海やヨーロッパ大陸など国家をこえた広大な地域を研究対象とし、その歴史を短期的な「事件」、中期的な「変動（フランス語でコンジョンクチュール）」、長期的な「構造」という三つの時間の層において捉えるべきことを主張しました。

彼らは、提示する研究対象の空間的なスケールについては対照的でしたが、ともに、国家を分析の単位にして主要なアクターとみなすナショナル・ヒストリーを批判しようとしていたことがわかると思います。

このうち、ブローデルの提言を継承したのがウォーラーステインです。彼は、一九五〇年代、戦後アフリカを対象とする政治学者として研究生活を開始しました。そのとき彼の眼前に広がっていたのは、豊富な資源をもちながらも、腐敗した政治と発展しない経済に苦しむひとびとの姿でした。アフリカは、なぜこうなってしまったのか。こうして、政治学者ウォーラーステインは、数十年かけて、アフリカの歴史、さらにはアフリカと世界各地の関係の歴史を遡ることになります。

歴史を遡るなかで、彼は一五世紀末に始まる大航海時代につきあたりました。この時代まで、アフリカ各地はそれなりに安定した政治と経済を享受していました。しかし、

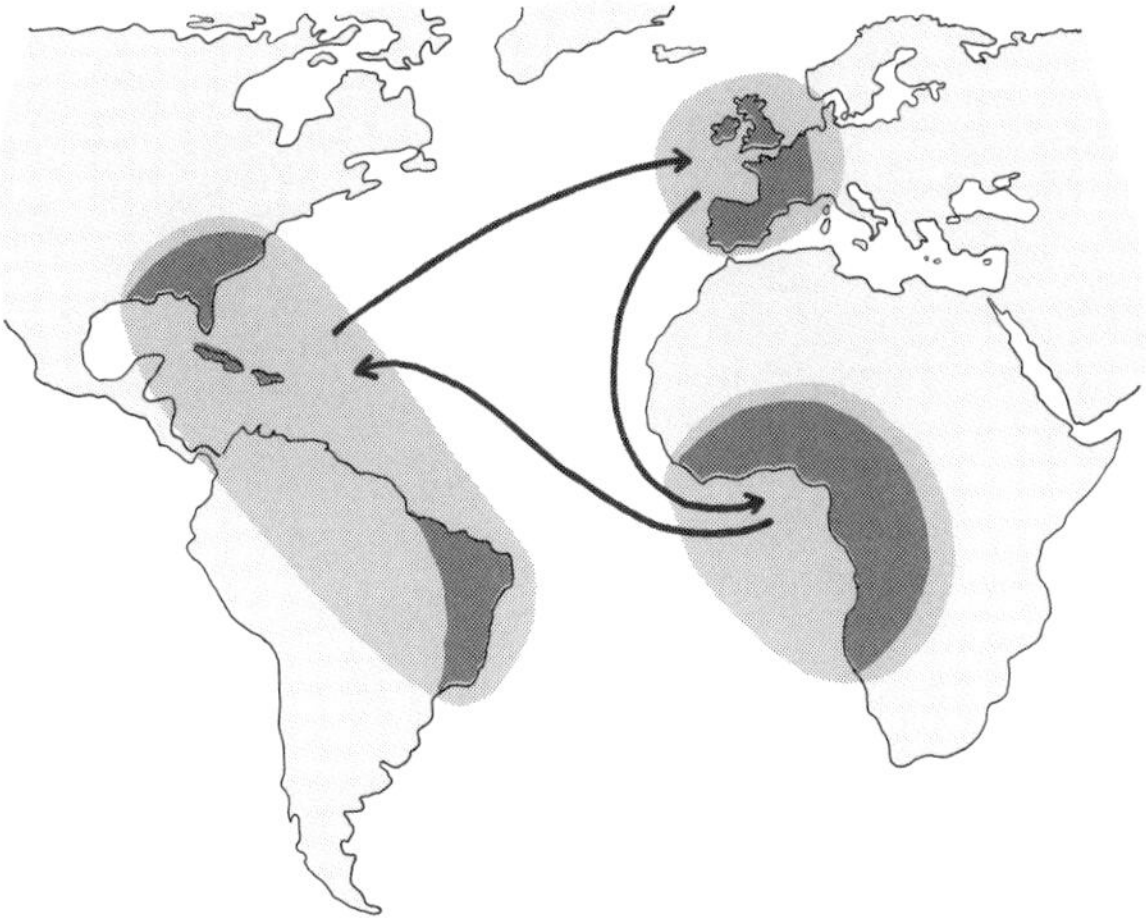

大西洋三角貿易

大航海時代になってヨーロッパ各国がアフリカ各地に到来し、「ヨーロッパからアフリカに銃などを輸出し、アフリカからアメリカに奴隷を輸出し、アメリカからヨーロッパに砂糖などを輸出する」という、のちに「大西洋三角貿易」と呼ばれる貿易システムが形成されると、アフリカは青年男子の大量欠乏に悩まされることになりました。その結果が、今日のアフリカのひとびとの困窮です。現代アフリカの困窮は、そこに暮らすひとびとのせいではありません。

ウォーラーステインは、大航海時代

を経て、世界各地が一体化し、大西洋三角貿易にみられるように、ある地域が別の地域を政治的に支配し、経済的に利益をまきあげる（搾取する）システムが世界規模で形成されはじめたと主張し、このシステムを「資本主義世界システム」通称「世界システム」と名付けました。一九七〇年代のことです。

世界システムにおいて、支配する側である「中核」はヨーロッパと北米であり、支配される側である「周辺」はアジア、アフリカ、中南米です。そして、両者の中間には、時代によっては、たとえば一九世紀後半以降の日本など、「中核」に支配されつつ「周辺」を支配する「準周辺」が生まれます。

ウォーラーステインの世界システム論は、歴史学界では、世界（グローブ）を単位として分析することの必要性を唱える所説として理解され、受容されることになりました。ここに、ナショナル・ヒストリーに対する批判の芽がみてとれますよね。

「マルクスとヴェーバー」から――日本・その1

それでは、第二次世界大戦後の日本の歴史学は、どんな経路をたどったのか。日本に住まうぼくらにとっては、これが肝心でしょう（って、ナショナル・ヒストリー的ですが）。

戦後の日本を席巻したのは、マルクス主義歴史学、そしてイギリス経済史学者である大塚久雄《おおつかひさお》（一九〇七年〜九六年）を主導者とする通称「比較経済史学派」の歴史学でした。

まずマルクス主義歴史学ですが、マルクス主義歴史学は「科学としての歴史学として」歴史学者コミュニティに受容されました。

それは、戦前から戦中にかけて歴史学界を支配した「皇国史観」と呼ばれる潮流が、どうみても非科学的なスタンスをとっていたからです。たとえば、『古事記』や『日本書紀』に書いてあることは、すべて本当だと考える。これは、資料批判をしちゃいけないということと同義です。あるいは、日本は神の国だから世界（少なくともアジア）を導く定めにあると主張する。でも「日本は神の国」ということは証明されない。これでは科学とは呼べません。

これに対してマルクス主義歴史学は、奴隷制度から農奴制度を経て資本主義へという歴史の枠組みを提示したうえで、さまざまな資料を利用し、資料批判という手続きを踏んだうえで、この歴史の枠組みを検証すべきことを主張しました。皇国史観の非科学性にうんざりしていた歴史学者たちにとって、科学を自称するマルクス主義歴史学は魅力的にうつったわけです。

さらに、マルクス主義歴史学者たちを中心に一九三二年に結成され、戦中は休眠状態にあり、戦後になって活動を再開した歴史学研究会という学会は、歴史学者のみならず小中高の教員やひろく一般の歴史愛好者を会員に迎え、歴史学が発見した成果を社会に伝えるパイプとして機能することになりました。

つぎに比較経済史学派ですが、これは日本独自の潮流です。主導者である大塚は、マルクス主義歴史学の基本的な枠組みは受容しつつも、そこに人間の姿がみえず、ひとびとの意識が分析対象に入っていないことに不満をもちました。たとえば、農奴制度が崩れたとき、なぜひとびとは資本主義を選択したのか。ほかにも小作制度（農業）や問屋制度（工業）など、選択肢はあったというのに――これは、実際にその場を生きた人間の意識を分析対象にとりいれなければ解けない問題です。

大塚は、こんな疑問から出発して、経済学者にして社会学者マックス・ヴェーバー（一八六四年～一九二〇年）の所説に接近します。ヴェーバーは、生活や精神や倫理に関して人間がもつ性向（エートス）が歴史の方向性に大きな影響を与えると主張していたからです。とくに大塚の目をひいたのは、ヴェーバーが、大略「個人がもつ宗教の倫理が、どの経済システムを選好するかに関係する」と説いていることでした。大塚は、ここから、マルクスの所説とヴェーバーの所説を独自なかたちで接合させ、ひとびとの意識の変化と経済システムの進化とが関係しあいながら歴史を作りあげてゆくという歴史像を提示しました。

大塚久雄

戦後復興が最大の課題だった戦後直後の日本にあって、戦後復興に適合的な経済システムを構築するにはひとびとの意識変革が必要だと説く大塚の所説は、学界をこえて、ひろく社会的な影響を及ぼすことになりました。

戦後しばらくのあいだ、マルクス主義歴史学と比較経済史学派を中核とする歴史学は、日本では「面白い」をこえて「切実な課題を解決する方策を提示する」学問領域として、ひとびとに受入れられてい

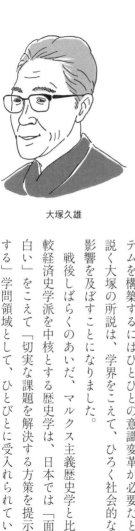

ったのです。

「下からの歴史」としての社会史学へ――日本・その2

朝鮮戦争を大きな契機として、日本経済は急速な成長を始めました。いわゆる高度経済成長の始まりであり、日本は「戦後復興」から「経済成長」の段階に入りました。一九五六年、政府『経済白書』は「もはや戦後ではない」と宣言するに至ります。

このことは、日本の歴史学に対しても大きな影響を与えました。歴史学の重要な一潮流をなしていた比較経済史学派は、戦後復興のための人間のありかたをさししめすものとして、学界内部のみならずひろく社会的にも影響力を誇っていました。これは、戦後復興が社会的な課題でなくなれば影響力を失う可能性が大きいことを意味しています。そして、実際に生じたのは、この事態でした。

また、ハンガリーの民主化運動をソヴィエト社会主義共和国連邦（以後、ソ連）軍が制圧したハンガリー事件（一九五六年）や、チェコスロヴァキアの民主化運動が社会主義諸国軍の介入によって制止された事件「プラハの春」（一九六八年）は、ソ連をはじめとする社会主義諸国の実情を明るみに出し、社会主義、とりわけ、その中核をなすマルクス主義に対する幻滅を引きおこしました。

この事態もまた、歴史学に大きな影響を与えました。マルクス主義は民主主義を弾圧するイデオロギー（思想）にすぎない、そんなものに依拠しているマルクス主義歴史学のどこが科学なのか、というわけです。こうして、マルクス主義歴史学の影響力が弱まってゆきます。ここでも現実世界の変化が歴史学のありかたにインパクトを与えたわけです。

それでは、時代にフィットした、あるべき歴史学とはいかなるものか。

じつは、マルクス主義歴史学と比較経済史学派にはひとつの共通点がありました。それは「上から目線」です。

マルクス主義歴史学は、資本主義の先に社会主義を展望する、アルトーグの三分類でいうと「未来主義」の性格をもち、きたるべき社会主義を担う民衆とりわけ労働者の立場から歴史を描きだすと自称していました。しかし、実際の民衆や労働者は、必ずしも社会主義を支持したり望んだりしているわけではありません。ですから、社会主義運動

1968年に起きた「プラハの春」

家が彼らをリードし、社会主義の長所を教えなければなりません。

比較経済史学派は、戦後復興を担う人間のありかたを提示しましたが、実際のひとびとがこの人間のありかたを共有しているとは限りません。したがって、ここでもまた、同学派の歴史学者を中心とする知識人が、彼らに対して、あるべき人間の姿を教えこまなければなりません。

しかし、日本では、高度経済成長のなかで経済水準の向上と民主化の進展がみられていました。民衆や労働者からすれば、「この思想を選べ」とか「こういう人間になれ」とかいって迫ってくる所説は、かつての「切実な課題の解決法を教えてくれるありがたい存在」から「上から目線でうざい存在」に変化したのです。

それでは「上から目線」がダメだとすると、「下から目線」はどうでしょうか。労働者など民衆の生活から出発し、彼らの独自の意識や思想を明らかにする歴史学です。

ここで着目されたのが、イギリスの労働史学やフランスのアナール学派でした。だいたい一九七〇年代のことです。

このうち前者については、まさに労働者など民衆の意識や生活を「そのものとして」

明らかにしようとする点で、当時の日本の歴史学の問題関心にぴったりフィットするものでした。

後者については、ブローデルやラブルースの次に登場した「第三世代」と呼ばれる歴史学者たちのしごとに注目が集まりました。第三世代の歴史学者たちは、文化人類学の手法を導入し、ふつうのひとびとの心性や行動にアプローチしようと試みていたからです。

労働史学やアナール学派第三世代の研究潮流は、「下からの歴史」あるいは「社会史学」と呼ばれることになりました。そして、ハーメルンの笛吹男伝説を追った『ハーメルンの笛吹き男』（阿部《あべ》謹也《きんや》）、一八世紀フランスの義賊の生涯を描いた『義賊マンドラン』（千葉《ちば》治男《はるお》）、あるいは一九世紀パリの職人たちの日常生活を描いた『パリの聖月曜日』（喜安《きやす》朗《あきら》）といった本が公刊され、その内容の面白さで「社会史ブーム」と呼ばれる社会現象を引きおこしました。

これらはどれも、当時第一線で活躍していた日本人歴史学者の手になるものです。そして、そこには「歴史って面白い」と思ってほしいという希望と、さらには時代にフィットした歴史学を探究した結果ゆきついた社会史すなわち「上から目線」ではない「下からの歴史」の可能性に賭ける気迫が感得できます。読んでみると、四〇年近くたった今でも、たしかに面白い。みなさんもきっと「歴史って面白い」と思ってもらえるんじゃないでしょうか。古本でしか買えないかもしれませんが、みつけたらぜひ手に取ってみてほしいと思います。

モダニズムがもたらしたもの

「マルクスとヴェーバー」から「下からの歴史」としての社会史への重心の移動という日本の歴史学の変化は、だいたい一九七〇年代に世界各地の知的世界で生じた「モダニズム」という思想から「モダニズム」のあと（ポスト）の思想つまり「ポスト・モダニズム」への移行という現象と共鳴し、あるいはその一部をなしていたといえます。

モダニズムは「近代主義」と訳せますが、ものすごく大ざっぱにいうと、一八世紀のイギリスで生じた産業革命を重要な契機として生じ、ひとびとのあいだに「ものの考えかた」として広まった思想のことです。産業革命が新しい技術を生みだすことによって諸産業の生産性を向上させ、生活にゆとりが出てくると、ひとびとは、科学や技術による進歩、進歩を担う自立した人間像、あるいは彼らに技術革新のインセンティヴを与える経済的自由や市場経済や民主主義を善とみなすようになります。この心性が思想というかたちをとったのがモダニズムです。

モダニズムには、さまざまな思想が含まれます。

歴史学についていうと、ランケ学派歴史学は、科学の力で過去の事実は明らかにできると考える点で、モダニズムを受容しているといえます。奴隷制度から資本主義、さらには社会主義へと進歩してゆく（はずだ）という歴史の枠組みを提供するマルクス主義歴史学は、歴史のなかに進歩を見いだす点でモダニズムの一形態とみなせます。経済成長（戦後復興）のためにはひとびとの意識変革が重要であると説く比較経済史学派は、経済成長を称揚する点で、やはりモダニズムの一形態といえるでしょう。

しかし。

戦後の高度経済成長が進むなかで、豊かさや、それをもたらす進歩、科学、技術といったものに対する疑問が、ひとびとの脳裏に生じはじめます。その一方で、高度経済成長が、じつはさまざまなひずみをはらみ、あるいはさまざまな犠牲のうえになりたっていることが明らかになります。

ひとびとのあいだから、物質的な豊かさは心の豊かさをもたらすのか、人間は自然を資源として乱用しているのではないか、といった声があがりはじめます。実際、生物学者レイチェル・カーソン（一九〇七年〜六四年）の本『沈黙の春』（一九六二年）は、農薬など化学物質は人間や生態系にとって（生産性を向上させるというメリットだけでなく）危険性をはらんでいると説き、合衆国を中心にベストセラーとなりました。

日本でも、一九五〇年代から、各地で公害が生じ、原因の探求が始まりました。その結果、高度経済成長を支える工場が出す排水や排煙が公害の原因であることが判明してゆきます。それでは、高度経済成長は、公害による健康被害をもたらしてまで進めるべきなのか。これは果たして進歩といえるのか。

こうしてモダニズムに対する疑問が生まれて広まり、モダニズムを否定したりこえようとしたりする思想が模索されることになります。ここから生まれたのがポスト・モダニズムです。

歴史学に対するポスト・モダニズムの影響とは？

ポスト・モダニズムを一言で定義することは困難ですが、簡単にいうと、モダニズムが称揚する価値に疑義を呈し、それら価値の是非を腑分《ふわ》けしてゆく思想のことです。科学、技術、それらがもたらす進歩、進歩の一部としての経済成長、経済的自由、市場経済、民主主義、こういったものは、はたして善なのか――モダニズムを構成するこれら要素に対して、ポスト・モダニズムは根本的な疑問を突きつけます。

歴史学についていうと、科学としての歴史学を標榜《ひょうぼう》して歴史学の主流をなすことになったランケ学派歴史学の主要な特徴に対して「本当か？」という疑問が寄せられることになります。主要な特徴とは、実証主義、公文書至上主義、資料批判、そして、それらの背後に原因や帰結として存在する記憶の排除、ナショナル・ヒストリー、欠如モデルです。

これら特徴に対しては、すでに、アナール学派、世界システム論、労働史学などの成果を受容した歴史学者のあいだから、疑問と批判が提示されていました。さらに、彼らは、疑問と批判だけに満足することなく、科学としての歴史学というスタンスは放棄せず、しかし非専門家のひとびとが読んでも面白いアウトプットを輩出してゆきました。

ところが。

事態はそこにとどまらず、科学としての歴史学に対して「そもそもそんなものは存在しえない」といわんばかりのラディカルな（根本的な）批判をつきつけることになる所説が、おもに哲学の領域で広まりはじめました。そして、この所説は他の学問領域に拡散してゆきました。この現象を「言語論的転回（Linguistic Turn）」と呼びます。ポスト・モダニズムの極限、といった感じでしょうか。

＊　＊　＊

言語論的転回に対し、歴史学はいかに対処すべきか――歴史学者は、この問題をめぐって苦慮し、苦闘し、悩むことになりました。みずからの存在そのものが否定されたわけですから、それも当然のことでしょう。

ここまでくると、率直にいって、歴史は面白いか、それとも面白くないか、なんて問題を論じている余裕はなくなります。なにしろ学問領域としての存在そのものが賭け金になってしまったわけですから。

一九八〇年代から二〇世紀末にかけて、歴史学界の最大の課題は「言語論的転回への対応」となります。

第四章　歴史の危機とその可能性

言葉とモノ

ぼくらは、しばしば、モノとそれを表す言葉は一対一で対応していると考えがちです。たとえば、「ハシ」といえば、川や海のうえにかかっていて、鉄やコンクリートで作られていて、自動車や歩行者が通れるようになっていて……という建造物を意味する、というように。そして、自分だけでなく、他のひとも「ハシ」と聞いたら同じモノを連想すると考えているはずです。だから、「ハシ」をめぐって会話がなりたつわけです。「ハシ」という言葉を聞いて、自分と相手が違うものをイメージしていたら、どう考えても話はかみあわないですよね。

しかし、本当にそうでしょうか。

もしかすると、川や海のうえにかかっている建造物である「ハシ」について会話しているはずが、相手は違う「ハシ」を念頭に置いているかもしれません。そう、おもにアジアで食事をする際に使われていて、二本の棒みたいなかたちをしていて……というカトラリーのことです。

そして、おたがい違うモノである「ハシ」を念頭に置いていても、会話が成立する場合があります。

「この前のハシ、ステキだったよねえ」

「うん、鉄製だったけど、ちょっとカーブしていて」

「やっぱり有名なデザイナーがデザインしているのかな」

「かもね。こんど確認してみようか」

「ほしいなあ、あれ」

「え？」

「え？」

この会話、途中まではかみあってますよね。

これは、モノと、それを表すことばの関係は結構ルーズなんじゃないか、ということを示唆しています。同じことばだけど違うモノをイメージしている二人のあいだで、それでも会話がなりたってしまうわけですから。

この「ルーズさ」についてつきつめて考えると、モノと、それを表す言葉の関係は恣意的、つまりテキトーなものにすぎないという考えに至りませんか？　ここまで来ると、ぼくらは「言語論的転回」の入口に立っていることになります。

ソシュール、登場

「言語論的転回」という文言は、一九六〇年代に哲学の領域でもちいられ、そののち歴史学をはじめとする他の学問領域に広まっていったといわれています。ただし、その基本的な発想は、すでに二〇世紀初め、スイスの言語学者フェルディナン・ド・ソシュール（一八五七年～一九一三年）によって体系的に提示されていました。彼は、長いあいだジュネーヴ大学で言語学の講義を担当していましたが、彼の没後、講義の記録は『一般言語学講義』（一九一六年）として公刊され、言語論的転回の唱道者たちに大きな影響を与えることになります。

では、そこで彼はなにを主張したのか。

ネコについて考えてみましょう。あの「毛が生えていて、耳が三角で、しっぽが長くて、動作が俊敏で、しばしばペットとして飼われていて……という特徴をもつ動物」という（イキ）モノを表す言葉は、言語によって異なります。日本語なら「ネコ」、英語なら「キャット（cat）」、フランス語なら「シャ（chat）」です。そして「ネコ」と「キャット」と「シャ」のどれが正しいんですか、と聞かれたら、みなさんはどう答えるでしょうか。答えは「言語によって異なるから、どれも正しい」としか言いようがないでしょう。

そう、あの（イキ）モノと、それを表す言葉は、言語によって異なります。これは、両者の関係はたまたまそうなったにすぎない（恣意的である）ことを示唆しています。

それだけではありません。

今度はウシという（イキ）モノとギュウニクというモノを考えてみましょう。日本語では、イキモノとしてのウシと、食料としてのギュウニクは、別の言葉です。ただし「ウシ（ギュウ）」の「ニク」なので、完全に別物とも言えない、その意味で微妙な関係にあります。これに対して、英語では、「ウシ」に相当するのは牝牛《めうし》が「カウ（cow）」、雄牛《おうし》が「ブル（bull）」ですが、「ギュウニク」に相当するのは「ビーフ（beef）」で、まったく違う言葉になっています。それではフランス語はどうか、というと、「ウシ」も「ギュウニク」も、ともに「ブフ（boeuf）」で、同じ言葉がもちいられます。ウシとギュウニクは、英語では完全に区別されて表現されるのに、フランス語では区別されないわけです。

そう、ある言葉が表すモノの範囲は、言語によって異なります。これもまた、モノと言葉の関係は恣意的であることを示唆しています。

ソシュールは、「ネコ」や「ウシ」や「ギュウニク」といった言葉を「シニフィアン」（フランス語で「さし示すもの」）、これら言葉が表現する（イキ）モノの概念を「シニフィエ」（フランス語で「さし示されたもの」）と呼び、シニフィアンとシニフィエの関係は恣意的なものにすぎないと主張しました。

これはつまり、ぼくが「イヌ」とか「ネコ」とか「ウシ」とか「ギュウニク」とか聞いて頭のなかで想像する概念と、他のひとが想像する概念が一致するとはかぎらない、ということです。一言でいえば「モノと、それを表す言葉の関係の恣意性」でしょうか。

このソシュールの所説がさまざまな学問領域に適用され、それぞれにおいて受容されていった現象が言語論的転回です。そこでは、モノと言葉の関係の恣意性や、モノに対する言葉の優位性が説かれます。モノに対する言葉の優位性とは、これまでは「はじめにモノが存在した。そののち、それに合う言葉が決められた」と考えられていたのに対して、逆に「はじめに言葉が存在した。そののち、それに対応するモノが決められた」と考えるべきだ、ということです。

そして、歴史学の領域では、言語論的転回は、歴史学の根幹にかかわる問題を提示したとみなされることになります。

言語論的転回と歴史学

しかし、言語論的転回は、いかなる意味で「歴史学の根幹にかかわる問題を提示した」のでしょうか。

一九世紀以来歴史学の主流をなしてきたランケ学派の研究手続きを思いだしてみまし

ょう。公文書を中心とする資料を探す。みつけた資料をたがいに比較するなどして、資料の内容のうち「正しい」と思われる部分を確認する。この資料批判によって得た知見をもとにして「それは実際いかなるものだったか」を明らかにする。うーむ、たしかに、なかなか科学的な手続きにみえます。この手続きをもって、ランケ学派はみずからが営む歴史学は科学であると自称したのでした。

しかし。

文書館でふたつの文字資料をみつけ、両者に共通する言葉が書いてあった場合を考えてみましょう。たとえば、一三四七年にジェノヴァ（現イタリア）で公衆衛生官が書いた資料を二つみつけたら、一つには「先日から感染症の感染爆発が生じている」という文があり、もう一つには「感染症の病原体は黒海から来た船によって運ばれたと思われる」という文章があった。ここから、ぼくらは「一三四七年、黒海から来た船が病原体を運搬してきたことにより、ジェノヴァで感染爆発が生じた」という歴史を紡ぎだせます。ただし、この手続きには前提があります。二つの資料にある「感染症」という言葉が同じものを意味しているという前提です。ところが、言語論的転回が主張するところ

ジェノヴァで感染爆発した黒死病

によれば、この前提がなりたつ保証はありません。モノと、それを表す言葉の関係は恣意的だからです。

あるいはまた、幸いなことに二つの資料にある「感染症」という言葉が同じものを示しているとしても、今度は、二つの資料にある「感染症」という言葉が示しているモノと、今日ぼくらが「感染症」という言葉から想起するモノが同一であるという保証はありません。言語論的転回が主張するところによれば、モノと、それを表す言葉の関係は恣意的だからです。たしかに、なにしろ八〇〇年近く前に書かれた資料ですから、同じものを意味していると考えるほうがムチャかもしれません。

もしかすると、文書資料だから問題が生じるんじゃないかと考えるみなさんもいるかもしれません。でも、口述資料やオーディオ・ビジュアル資料だって、じつは事態はかわりません。だれかのインタビューも、資料として残されたラジオやテレビの番組も、言葉を使って情報を伝達していることに違いはないからです。字のない絵はどうか、という疑問が生じるかもしれませんが、それだって、絵を解釈する際には言葉が使われます。この言葉が、解釈するひとと解釈を聞くひとのあいだで、同じモノを指しているか否かは不明です。

まとめましょう。

ランケ学派を始祖とし、今日の歴史学の土台をなしている科学としての歴史学は、資料の発見、資料批判、過去の事実の発見（実証）、発見した事実の記述、という手続きをとります。しかし、そのすべての段階で言葉が介在しています。そして、科学としての歴史学は「言葉と、それが表すモノの関係は、ちゃんとした方策をとれば一対一対応させることができる」と考えます。

しかし、言語論的転回が教えるところによれば、そこに根拠はありません。むしろ、両者の関係は恣意的だと考えるべきなのです。そうだとすると歴史学は、どんなに頑張っても「それは実際いかなるものだったか」を明らかにすることはできない、ということになります。

言語論的転回は、科学としての歴史学の存在可能性を否定しました。歴史学者たちが困惑したのも、けだし当然というべきでしょう。

歴史学者たちの対応・その1——受容

そんなわけで、歴史学者たちは言語論的転回にどう対応すればよいかをめぐって悩むことになりました。

一部の歴史学者は、言語論的転回を受容し、新しい歴史学を作りあげるツールとして利用しようと試みました。その例としては、合衆国の女性史学者ジョーン・スコット（一九四一年生）やイギリスの労働史学者ガレス・ステッドマン・ジョーンズ（一九四二年生）があげられます。

スコットは、それまでの女性史学が生物学的性差（英語でセックス）にもとづく女性たちの過去を明らかにすることを課題としてきたのに対して、男女という性差は社会的に作られているもの（英語でジェンダー）であるというフェミニズム理論にもとづき、ジェンダーとしての女性たちの歴史を研究すべきことを主張しました。ジェンダーを作っているのは社会ですが、社会は言葉によってなりたっていますから、ジェンダーは言葉によって作られているといってよいでしょう。ここに女性史学と言語論的転回の接点が生じます。

スコットの所説のインパクトは大きく、女性史学は言葉の問題を組みこんだ「ジェンダー史学」に姿を変えてゆきます。たとえば、「良妻賢母」とか「性別役割分業（男は仕事、女は家事）」とかいった言葉がいかに誕生したか、そして、こうして誕生したこれらの言葉が実際の社会をいかに規定してきたか、などなど。

それだけではありません。ジェンダー史学は、近年では、女性の歴史にとどまることなく、歴史のさまざまな側面さらには歴史の総体をジェンダーの観点から描きだせば歴史の姿を一新できると考えるに至っています。たとえば古代ギリシア社会は、かつては民主主義を生んだというすばらしき側面が強調されましたが、ジェンダー史学によれば、そこは男尊女卑がまかりとおる男だけの（ホモソーシャルな）世界でした。

ステッドマン・ジョーンズは、イギリス産業革命によって、工場で働いて賃金を得る労働者という「階級（class）」が成立し、彼らが団結して労働組合を結成し、自分たちを雇う資本家に対抗して待遇の改善に努めた、というそれまでの通説を批判します。通説に対する彼の批判の焦点は、「階級」という言葉と実体の前後関係にあてられます。

つまり、それまでの通説は、労働者について大略「労働者階級という実体が生まれ、その実体を表すために『労働者階級』という言葉ができた」と考えていました。ステッドマン・ジョーンズは、これとは逆に「まず『労働者階級』という言葉ができ、この言葉が広まることによって労働者はひとつの集まり（階級）とみなされるようになり、またみずからを階級とみなすようになって、実体としての労働者階級ができた」と主張しました。

スコットやステッドマン・ジョーンズは、言語論的転回を「はじめに言葉が存在した。そののち、それに対応するモノが決められた」という所説として捉え、それをもちいて歴史を描きなおそうとした、といえるでしょう。

たしかに言葉がモノに先行することはあるし、あったはずです。その意味では、スコットやステッドマン・ジョーンズの営みには、それまでの歴史学者たちがみてこなかった歴史の側面を明らかにしたという意義があります。

ただし、彼らの営みには問題もあります。

言語論的転回という所説は「はじめに言葉が存在した。そののち、それに対応するモノが決められた」と主張するにとどまるものではありません。言語論的転回の中核は「言葉と、それがさし示すモノの関係は恣意的なものにすぎない」という所説でした。しかし、スコットやステッドマン・ジョーンズは、この中核を受容するところまでは踏みこんでいません。踏みこんでいたら、「ジェンダーという言葉の意味は、研究者と他の研究者のあいだでちゃんと伝わっているか」とか「労働者階級という言葉と実体の関係について記述してある資料について、作者が資料に込めた意味を、読者である研究者はちゃんと理解できるか」とかいった問いに対して「ノー」と答えなければならないからです。

その意味では、彼らは言語論的転回を部分的に受けいれるにとどまったといわなければなりません。

でも、それもしかたないことでしょう。言語論的転回を全面的に受けいれたら、いかなる歴史の研究も不可能となるのですから。

歴史学者たちの対応・その2――批判的考察

スコットやステッドマン・ジョーンズと対照的に、言語論的転回の所説を批判、というよりも否定的に検討し、評価する歴史学者も登場しました。ただし、言語論的転回を十全に咀嚼《そしやく》し、理解し、批判するには、言語学、さらには哲学（とりわけ歴史にかかわる哲学である歴史哲学）をはじめとするさまざまな学問領域に関する知識が必要になります。なにしろ、問題は「モノと、それを表す言葉の関係」であり、ふだん歴史学者が研究している「それは実際いかなるものだったか」とはかけ離れたものなのですから。そのため、言語論的転回を真正面から批判的に考察することは、たいていの歴史学者にとっては荷の重いことでした。

言語論的転回が歴史学に対してもつ意味を真剣に受けとめ、正面から批判的に対峙《たいじ》した日本の歴史学者の例としては、遅塚忠躬《ちづかただみ》（一九三二年〜二〇一〇年）があげられます。遅塚はフランス革命前の時期（旧体制）とフランス革命を専門とし、比較経済史学派の一員として研究生活を始めましたが、アナール学派をはじめとする社会史学の成果を取りいれ、一九七〇年代から九〇年代にかけて、日本における近世近代フランス史研究を主導しました。同時に、彼は哲学をはじめとする他の学問領域にも造詣《ぞうけい》が深く、歴史理論や歴史学方法論を自家薬籠中の物としていました。言語論的転回を批判的に検討するにはうってつけの人物だったといえるでしょう。

彼は「モノと、それを表す言葉の関係は恣意的である」という言語論的転回の中核的な所説を肯定します。そのうえで、だからといってホントのことはわからないということにはならない（＝ホントのことはわかる）と主張し、歴史学を擁護します。

彼の主張のポイントは、「真実（トゥルース）」と「事実（ファクト）」を区別するところにあります。

遅塚にいわせれば、真実は「実際にあったことやモノ」であり、歴史学者はどんなに頑張っても、自分が生きていない過去の真実を知ることはできません。これに対して事実とは「歴史学者たちが妥当とみなしている手順にしたがって明らかにされた、現時点では実際にあったと考えてよいと大多数の歴史学者が考えていることやモノ」であり、ちゃんとした手順を踏めば事実にアプローチすることは可能です。もちろん、今後、もっと妥当な手順が発見されたり、問題となっていることやモノの存否に関する歴史学者の評価が変化したりすることはありえます。事実とは、歴史学者コミュニティ内部のコミュニケーションにもとづくコンセンサスに支えられていますが、このコンセンサスはしばしば変化します。ですから事実は暫定的な「ホントのこと」にすぎません。

そして、遅塚は、歴史学は過去の「真実」ではなくて「事実」を探究する学問領域であり、そう考えれば歴史学は言語論的転回の所説と両立しうると主張します。

モノと、それを表す言葉の関係は恣意的かもしれませんが、専門家のあいだで話しあえば「まあだいたいこんなものだろう」というコンセンサスは得られるはずです。このコンセンサスにもとづいて、暫定的に事実が確定されます。コンセンサスが変化すれば事実は変わるかもしれませんが、それは歴史学の進化とみなされるべきなのです。

遅塚の主張は、歴史学者たちがこれまでおこなってきた実践と整合的なものでした。また、コミュニケーションの重要性や学問領域の進化の必然性を説く点で、説得的なものでした。そのため、彼の所説は、それまで歴史学者が慣れしたしんできた歴史学を擁護するものとして、ひろく受容されることになります。

歴史学者たちの対応・その3――無視

もっとも、言語論的転回を受容したり正面から批判的に検討したりした歴史学者は、少数派でした。では多数派の歴史学者は、というと「無視した」というのが適切な表現でしょう。

そう、大多数の歴史学者は、言語論的転回という事態が生じ、それが歴史学の根本に関わっていることは理解していました。しかし、スコットやステッドマン・ジョーンズのように積極的に受容したり、遅塚のように正面から批判的に対峙したりすることは避け、科学としての歴史学が与えてくれた手法にもとづいた研究を淡々と進め、さまざまなテーマについて「それは実際いかなるものだったか」を明らかにする成果を粛々《しゅくしゅく》と発表しつづけました。もちろん、受容と批判的対峙のどちらをとるかと言われれば、彼らの多くは後者に親近感を示しましたが。

彼らが示した「無視」という態度の理由を説明するには「パラダイム」という概念をもちいることが有効です。パラダイムとは科学史家トマス・クーン（一九二二年～九六年）が提唱した概念ですが、ある学問領域において研究を進める際に「当然」とみなされている事柄のセットを指します。そこには、理論、方法論、研究手順、研究にもちいられる概念などが含まれます。

歴史学においては、一九世紀以来、ランケ学派歴史学がパラダイムをなしてきたといえます。そして、二〇世紀になり、アナール学派などが登場し、一九七〇年代になって社会史学が人々の耳目を引くようになっても、基本的には、実証主義、公文書至上主義、そして資料批判を中核とし、「それは実際いかなるものだったか」を明らかにすることを課題とする歴史学が、パラダイムの位置にありつづけました。

パラダイムは一種のルールですから、歴史学者が学界で認められるには、パラダイムにのっとって研究を進め、パラダイムにのっとった論文や本を書かなければなりません。彼らの多くにとって、言語論的転回が提示した問題は重要でしたが、パラダイムにのっとって仕事を進めることのほうがはるかに重要でした。「無視」という態度が優越したのは、そのためです。

もちろんパラダイムは未来永劫《みらいえいごう》不変であるというわけではありません。パラダイムでは説明できない事実がみつかることもあるでしょう。その場合、当初は「例外だな、例外」とみなされて処理されます。しかし、この例外事例が増加すると、パラダイムに対する疑念が膨らみ、あるとき一気に別のルールがパラダイムとしてとってかわるという事態が生じます。これをパラダイム・シフトあるいは科学革命と呼びます。天文学における天動説から地動説への転換、物理学における古典力学から量子力学への転換などが、代表的な科学革命です。

これらの用語をもちいるなら、歴史学において、言語論的転回は科学革命を惹起《じやつき》して新しいパラダイムとなるには力不足だったといえるのかもしれません——力が強すぎて歴史学そのものを破壊しかねなかったため、歴史学者たちによって換骨奪胎され、部分的に吸収された、というべきかもしれませんが。

ポスト・コロニアリズムも忘れちゃいけない

これまで延々と言語論的転回について書いてきましたが、もちろん、ポスト・モダニズムが「言語論的転回」の一言で要約できるわけではありません。もうひとつ、歴史学に対して大きなインパクトを与えた潮流をあげるとすれば、それは「ポスト・コロニアリズム」と呼ばれる思想でしょう。

「コロニアリズム」は「植民地主義」と訳せますから、「ポスト・コロニアリズム」は「植民地化が終わったあとの思想」つまり「脱植民地主義」と訳せます。第二次世界大戦が終了すると、欧米諸国が世界各地に保持していた植民地で独立運動が始まります。とくに一九六〇年は「アフリカの年」と呼ばれるように、ほぼ全域が植民地化されていたアフリカ大陸で一七の地域が独立（脱植民地化）し、新たな国家となりました。しかし、これら諸国の大多数は、若きウォーラーステインが目にしたとおり、政治、経済、社会などの領域で混乱や苦闘を続けることになります。植民地状態を脱して自立した国家建設が可能になったのに、なかなか国家建設が進まない。それはなぜか。

この事態の原因を探り、その解決策を見いだそうとする営みから生じたのが、ポスト・コロニアリズムです。ですから、ポスト・コロニアリズムは、単に分析のための思想ではなく、実践のための思想でもあります。

そして、ポスト・コロニアリズムは、かつての宗主国（植民地を支配していた国）・植

サイード

民地関係の影響が残存していることに、旧植民地諸国の困難の原因を見いだします。

植民地時代において、欧米諸国を中心とする宗主国は力をもつ多数派（マジョリティ）であり、アジア・アメリカ・ラテンアメリカに広がる植民地は力なき少数派（マイノリティ）でした。

この多数派と少数派の力関係は、脱植民地化後も続きます。旧植民地は、政治的には独立したかもしれませんが、旧宗主国に対して、経済的に従属したり、社会的に労働力（移民）の供給源となったり、文化的に「多数派の優越性をひきたてる劣等な少数派」とイメージされたりするという役割を割りあてられつづけました。旧植民地は、独立後も少数派の位置にとどまったのです。

それでは、どうすればよいか。

実践の思想であるポスト・コロニアリズムは、しばしば隠れたものとなっている多数派・少数派関係を明るみに出し、打破し、場合によっては多数派と少数派の位置を逆転させたり別の対立軸を導入したりすることによって無力化させることが必要だと主張します。

たとえば、文芸評論家エドワード・サイード（一九三五年～二〇〇三年）は「オリエント（東洋）」という言葉に着目し、それは、多数派であるオクシデント（西洋）すなわち欧米諸国がみずからの多数派性を確認するために必要な少数派を指ししめすために作りだした言葉であると主張しました。多数派は、少数派が存在しなければ、みずからも存在できないのです。そうだとすると、ぼくらは「オリエント」という言葉を口にするたびに、東西の多数派・少数派関係の強化に貢献していることになります。

最近は、この多数派・少数派関係は「東西」から「南北」に移動しつつあります。ぼくらは、しばしば新聞やテレビで「南北関係」という言葉を耳にするし、場合によっては自分でも使っています。ただし、ここでいう「南北」には地理的な意味だけでなく政治的な意味、すなわち「北つまり先進国は多数派、南つまり発展途上国は少数派、だから北は南を指導する必要がある」という主張が通奏低音として含まれていることに留意しなければなりません。対立軸は「東西」から「南北」に変わったかもしれませんが、多数派・少数派関係そのものは残されているのです。

これら旧宗主国と旧植民地の関係の原因を過去に探るのは、歴史学の役割です。ここから植民地史学（コロニアル・ヒストリー）と呼ばれる研究潮流が登場します。この潮流は、植民地化のプロセス、宗主国の政策、脱植民地化の意味、脱植民地化後の旧植民地の状況などを、（旧）宗主国・（旧）植民地関係に着目しながら分析しています。

ポスト・コロニアリズムは、守備範囲を広げてゆく

多数派・少数派関係が、それもしばしば目につきにくいかたちで存在しているのは、なにも旧宗主国と旧植民地のあいだだけとは限りません。ポスト・コロニアリズムは、社会や世界のさまざまな多数派・少数派関係にも目を向けてゆきます。

スコットの所説を論じたところでも触れましたが、その代表的な例が男女関係です。近年に至るまで、あるいは今でも、ぼくらは「男性が多数派、女性が少数派」の世界を生きてきた。しかし、そこに根拠はあるのか――そうポスト・コロニアリズムは問いかけます。

この問いに対しては「生物学的に、男性の方が強い」とか「宗教書にそう書いてある」とか「これまで、男性は戦い、女性は家を守ってきた」とか、さまざまな答えが返ってきそうです。

しかし、歴史学の守備範囲を考えるだけでも、女性の方が力ある多数派だった時代や地域はいくつも存在します。だいたいにおいて、ここでいう「男性」とか「女性」とかいうのは、どんな定義に基づいているのか。それは社会的に作られた言葉にすぎないのではないか――ポスト・コロニアリズムの影響を受けた歴史学者だったら、そう反論するでしょう。そう、これはまさにジェンダー史学です。

こんな多数派・少数派関係は、男女間に存在するにとどまるものでもありません。他の例としては、人種に関するものがあげられます。ぼくはアジア人であり、俗にいう黄色人種ですが、どうも欧米系のいわゆる白人を目の前にすると気後れするところがあります。これは、ぼくも「白人は多数派、黄色人種や黒人は少数派」という白人至上主義に毒されているということなのでしょうか。

たしかにモードの世界などでは、近年は脱白人至上主義が進み、ショーのモデルの多人種化が進んでいるようです。それでも、ぼくのように、心の奥底で「白人」なるものにいわれなき劣等感を抱くひとびとは少なくないんじゃないでしょうか。あるいは、合衆国などでは、白人至上主義は、今日でも目にみえるかたちで問題を引きおこしています。

それでは、この白人至上主義に根拠はあるのか——ポスト・コロニアリズムはこの問いに「ノー」と答え、白人至上主義の克服を目指します。そのために有効なのは白人至上主義の歴史をたどることであり、これはつまり歴史学のしごとです。実際、今日では、白人性（ホワイトネス）や黒人性といった、「人種そのもの」ではなく「人種というイメージ」が作られてゆくプロセスを分析する研究が進められています。

ここまで読んできたみなさんはおわかりになると思いますが、ポスト・コロニアリズムは言葉やイメージの問題を重視します。この点で、その問題関心は言語論的転回と共鳴しています。

ぼくらの社会や世界には、旧宗主国と旧植民地、男性と女性、あるいは白人と黄色人種や黒人以外にも、さまざまな、しかし目につきにくい多数派・少数派関係が存在しています。大人と子供しかり、官と民しかり。他にもいろいろあるでしょうが、ポスト・コロニアリズムの影響を受けた歴史研究は、これらの関係の起源をたどり、その正統性の存否を問いなおそうとしているのです。

＊　　＊　　＊

モノと、それを表す言葉の関係は恣意的なものにすぎないと説く言語論的転回は、歴史学（だけじゃなく、じつは言葉をもちいるすべての科学）の存在を根底から揺るがすものであり、他方で、歴史学にとっては新しい研究テーマや研究方法のヒントを与えてくれるものでした。さらに、言語論的転回のインパクトを受けながら発展したポスト・コロニアリズムも、歴史学にさまざまなヒントを与えてくれました。

歴史学者は、一部はこれら潮流に正面から対峙《たいじ》しながら、一部は批判的に対峙しながら、そして一部はとりわけ言語論的転回に対して無視を決めこみながら、理論的な次元でどうにか態勢を立てなおそうとしていました。そんななかで、彼らは一九八九年を迎えます。

一九八九年。
この年、世界各地は激動にみまわれることになります。

第五章　世界がかわれば歴史もかわる

時代の節目、一九八九年

歴史学者たちが言語論的転回への対応に四苦八苦していた一九八九年、世界史は大きな転換点を迎えます。この年は「自由、平等、友愛」というスローガンで知られ、イギリス産業革命とならんでモダニズムが生まれる重要なきっかけとなったフランス革命の二〇〇周年であり、フランスでは国をあげて大々的な行事が予定されていました。

ところが。

一月。日本では昭和天皇が逝去し、「戦争と高度成長の時代」だった昭和が終わって平成天皇が即位しました。

二月。三年前にアフガニスタンに侵攻したソ連軍が撤退を開始しました。イスラーム原理主義勢力の打破を目標として軍事介入を開始したソ連軍の事実上の敗北は、今日まで世界各地で続くイスラーム原理主義の伸長と、ソ連の衰退を予期させるものでした。

六月。中国で、民主化を求めるひとびとを人民解放軍（国軍）が弾圧して多数の死傷者を出した「天安門事件」が発生します。また、ポーランドでは総選挙がおこなわれ、非社会主義政党が多数を獲得して政権の座につきました。

七月。フランス革命二〇〇周年を記念する行事がパリで開催されましたが、アフガニスタン、中国、東ヨーロッパなど世界各地で大事件が勃発するなか、大きなニュースになるのは、これは無理筋というものでしょう。

一〇月。ハンガリーで新しい憲法が施行され、社会主義体制が放棄されました。

一一月。資本主義諸国と社会主義諸国の対立（東西対立、冷戦）を体現する存在となっていたベルリンの壁が崩壊します。これにより、東西ドイツ両国のあいだの移動が自由になるとともに、両国の再統一が視野に入ります。また、チェコスロヴァキアでは、ベルリンの壁の崩壊を受け、ひとびとが民主化と社会主義体制放棄を求めて立ちあがり、非社会主義政権が成立しました。

そして一二月。合衆国大統領ジョージ・ブッシュ（一九二四年～二〇一八年）とソ連

1989年、ベルリンの壁が崩壊する

最高会議議長ミハイル・ゴルバチョフ（一九三一年生）が会談し、冷戦を終結させることに合意したと宣言しました。これは、事実上は「社会主義国の建設と運営」という巨大な実験の失敗を宣言するものでした。

第二次世界大戦後の世界は、「冷戦体制」と呼ばれることもあるとおり、冷戦の存在を前提として機能してきました。政治のみならず、経済、社会、そして文化もです。ひとびとは、資本主義諸国と社会主義諸国が貿易するにはどうすればよいか、前者に住むひとびとは後者に住むひとびととどうつきあえばよいか、資本主義と社会主義おのおのの功罪はいかなるものか、どちらをどんな理由で支持すべきか、といった、さまざまな問題にむきあい、頭を悩ませてきました。

その冷戦が、突然終わってしまったわけです。冷戦の終結はまさに「戦後の終わり」であり、ひとびとは「東西対立」なき新しい政治、経済、社会、文化とはいかなるものか、いかなるものを作りあげるべきか、という課題に直面することになりました。

一部の論者は、この事態を「社会主義に対する資本主義の勝利」と捉え、今後、世界はすべて資本主義化してゆくだろうという楽観的な見通しを提示しました。その代表的な例が、合衆国の政治評論家フランシス・フクヤマ（一九五二年生）が発表した論文「歴史の終わりか？」（一九八九年）です。

でも、事態はそれほど単純ではありませんでした。そして、冷戦の終結は、歴史学者にとっても、大きな衝撃を与える事態や新しい課題が生じる機会として機能することになります。

理論から実践へ

歴史学者にとって、ポスト・モダニズムの登場は、当初、いわば「理論」の次元でさまざまな難問を突きつけ、そして、場合によっては新しい歴史学を生むチャンスとして捉えられました。

このうち最大の難問を突きつけてきた言語論的転回については、歴史学は、真実ではなく、暫定的なコンセンサスにもとづく事実を明らかにする学問領域であるとして、そのインパクトを批判的に評価したり、「はじめに言葉が存在した。そののち、それに対応するモノが決められた」という所説に換骨奪胎して部分的に受容したりして、どうにか対応できたかにみえました。

そして、多くの歴史学者は、なにもなかったかのように、基本的には既存のパラダイムにもとづいた研究を進め、成果を発表しつづけました。ここでいうパラダイムとは、実証主義、公文書至上主義、資料批判（そして、その背景あるいは結果としての記憶の排除、ナショナル・ヒストリー、欠如モデル）を特徴とする、ランケを始祖とする科学としての歴史学です。そして、その成果が歴史学者コミュニティ以外のひとびとにはアピールしないものであり、歴史学って面白くないというイメージが作りあげられるのに貢献したことは、いまさら再言するまでもないでしょう。

もちろん、このパラダイムの外に出ようとした歴史学者も存在しました。科学としての歴史学という立場は堅持しつつもランケ学派の特徴を批判した、総じて社会史学者と呼ばれるひとびと。ポスト・モダニズムを最大限受容し、ジェンダー史学を生みだし、あるいはポスト・コロニアリズムの観点を導入したひとびと。彼らの研究の成果は、新しい歴史学を生みだそうという熱気にあふれ、一部は歴史学者コミュティの外部にも「面白い！」という印象を与えるものでした。

ところが。

一九八九年の冷戦の終結と、それに続く「東西対立」なき世界の構築が課題になると、歴史学者たちは、今度は「理論」ではなく「実践」の次元で、数々の難問に直面することになります。冷戦の終結が、それまで冷凍保存されてきたさまざまな記憶を解凍させたからです。

冷戦は、世界各地でひとびとの記憶を抑えこんできました。

たとえば大韓民国（韓国）では、日本が朝鮮半島を植民地として支配していた時期になされたさまざまな行為は、日本も韓国も「西側」つまり資本主義国陣営であり、中国や朝鮮民主主義人民共和国（北朝鮮）など「東側」つまり社会主義国陣営と対峙《たいじ》しなければならない、という冷戦の論理の前に、一種「なかったもの」とされました。それは個人の記憶の次元で、かろうじてほそぼそと語りつがれる存在となりました。冷戦が終結して、はじめて従軍慰安婦の存在や強制連行の実態が、記憶ではなく事実の次元で問題となったのです。

冷戦の終結の主要舞台となった東ヨーロッパでは、冷戦終結後、ユーゴスラヴィアやソ連が解体し、チェコとスロヴァキアが分離するなど、国家の範囲が変わり、境界が移動する、という事態が生じました。これは、ナショナル・ヒストリーや公文書至上主義の正統性に疑念を抱かせる事態でした。また、第二次世界大戦の記憶が蘇《よみがえ》り、そこに社会主義時代の記憶がオーバーラップして、各地で歴史から個人的あるいは集団的な記憶を排除できなくなりました。さらに、社会主義体制下の諸国では、歴史学者の多くは政府の「おかかえ学者」として、事実よりも、ときの政府が真偽を問わず提示してきた公式見解を重視してきたことが明らかになりました。これにより、専門家としての権威が失われ、欠如モデルの説得力もまた毀損《きそん》されるという事態が生じました。

パラダイムの地位を占めていた科学としての歴史学の構成要素のおのおのに対して、深刻な批判が突きつけられたわけです。

こうして、歴史学者は「冷戦が終わったときにあって、なにをするのか。なにをすればよいのか。なにをなすべきか」という問題に直面することになりました。

これらは、どれも実践の次元における問題ですよね。

記憶研究（メモリー・スタディーズ）と個人的記憶

こうして、歴史学の領域では、「理論」よりは「実践」に重点を置いた潮流がさまざまに誕生し、広がってゆくことになります。二〇世紀末から二一世紀初めにかけてのことです。

本書では、これら潮流のうち、記憶研究（メモリー・スタディーズ）、グローバル・ヒストリー、パブリック・ヒストリーという三つを取りあげたいと思います。

これら三つを選んだことには理由があります。記憶研究は記憶の排除（そして実証主義）、グローバル・ヒストリーはナショナル・ヒストリー（そして公文書至上主義）、パブリック・ヒストリーは欠如モデル（そして資料批判）という、二〇世紀末に至っても パラダイムの位置を占めていたランケ学派歴史学の中核を批判して登場したからです。まず記憶研究です。

記憶は個人の記憶（個人的記憶）と集団の記憶（集合的記憶）の二種類に大別できますが、どちらも、基本的には心理学の領域で研究されてきました。

とはいえ記憶は過去にかかわる事象ですから、歴史学とまったく無関係なはずはありません。ただし、記憶には、その客観性を保証できないという問題があります。これに対して、歴史学がひとつの学問領域として認められ制度化されるには、客観的な資料やデータをもちいて客観的な結論を導きだす科学であると自称できることが必要です。そのため、先に書いたとおり、科学としての歴史学は記憶を排除するという営みのうえに成立しました。そして、歴史学が記憶の代わりに頼った資料やデータが、公文書をはじめとする文字資料でした。

もちろん歴史学者たちが記憶をまったく無視してきたわけではありません。たとえば個人の記憶については、これを「証言」と呼んで資料としてもちいる潮流も存在しました。この潮流を「オーラル・ヒストリー（口述史学）」と呼びます。ただし、証言は公文書など文書資料と比して客観性が低いとみなされ、したがって資料としての価値は低いと評価されました。

しかし。

考えてみれば、文書資料だってホントに客観的なのかといわれたら、いろいろと疑問が生じてくるはずです。個人的記憶にもとづいて作成された文書資料もあるでしょう。特定の意図のもとに、事実と異なる内容を記した文書資料もあるでしょう。個人的記憶にもとづく口述資料（証言）と文書資料とで、そんなに違いはあるんでしょうか。

こうして、個人的記憶を、文書資料と同等の資料として扱い、過去の事実にアプローチしようとする研究が登場します。

その代表的な成果として、保苅実《ほかりみのる》『ラディカル・オーラル・ヒストリー』（二〇〇四年）をあげておきましょう。この本のなかで、保苅（一九七一年〜二〇〇四年）は、オーストラリア先住民（アボリジニ）のあいだに伝わる「ジョン・F・ケネディ合衆国大統領がアボリジニに会いに来た」という証言を取りあげ、それを「そんな事実はない」と

「ジョン・F・ケネディ合衆国大統領がアボリジニに会いに来た」!?

する公文書と同列に取りあつかうべきことを主張します。

この二つの資料は矛盾していますから、ふつうに考えると、どちらかが正しく、どちらかが間違っているはずです。

でも保苅は、大略「過去の事実は、そのひとによって、その場によって、異なりうる」と主張し、大切なのは「歴史的事実性」ではなく「歴史への真摯さ」であると断言します。これは、科学としての歴史学がよってたつ実証主義に対する真正面からの挑戦であり、歴史学者の実践に関するラディカルな（根本的な）提言だったといえるでしょう。

「歴史への真摯さ」の詳細な内容について語る時間は、この本の原稿を完成させた直後に逝去した保苅には残されていませんでした。しかし、これはさまざまなことを考えさせられる一冊であり、ぜひ手にとることをお勧めします。

記憶研究と集合的記憶

記憶にはもうひとつ、集団が共有する集合的記憶があります。冷戦の終結によって問題となったのは、むしろ、この集合的記憶のほうでした。

さまざまな集合的記憶がさまざまに関係しあい、さまざまな問題を引きおこす――この「記憶をめぐる抗争（メモリー・ウォーズ）」とでも呼ぶべき事態の主要な舞台となったのが東ヨーロッパです。

ドイツとロシアにはさまれたこの地域は、第二次世界大戦の主戦場となり、戦後はソ連の圧力のもと、各地で社会主義国が、ソ連の構成国あるいは衛星国として誕生しました。そして、各国では「第二次世界大戦では、国内抵抗運動とソ連軍がナチス・ドイツの圧政からの解放を実現した。その後、社会主義国として、国民のためのさまざまな改革をおこなってきた」という公式見解が提示され、それに沿ったかたちで国民の集合的記憶が「創造」されることになりました。

ところが、冷戦が終結すると、第二次世界大戦と社会主義時代に関する集合的記憶がまさに人工的に創造されたものであり、ひとびとのあいだでは多様な集合的記憶が残存していることが明らかになりました。

たとえば、一九四〇年、ソ連が多数のポーランド人を捕虜としてソ連領内に連行して射殺するという事件が発生しました。この事件はのちに「カチンの森事件」と呼ばれることになりますが、戦後のポーランドはソ連の衛星国として「東側」に属することになったため、カチンの森事件はドイツの所業であるというソ連の見解が公式見解となりました。しかし、この公式見解は事実と異なるものです。かくして、公式見解にもとづいて創造された集合的記憶と、事実にもとづくがゆえに根強く残り、しかしソ連の衛星国であるがゆえに公式には認められない集合的記憶が、ひとびとの意識のなかで併存し、あるいは対立する、という事態が生じました。

ソ連でも、カチンの森事件はドイツの所業とされ、それに沿って創造された集合的記憶がひとびとに共有されることになりました。

一九八七年、二年後に冷戦の終結を主導することになるゴルバチョフは、ポーランドとソ連合同で歴史学者を中心とする調査委員会を設置することに合意しました。委員会の調査によって事件はソ連がおこなったものであることが明らかになり、一九九〇年、ソ連はポーランドに遺憾の意を表しました。

同様の事態は、他の東ヨーロッパ諸国、さらには、冷戦が第二次世界大戦後の世界のありかたを規定していたがゆえに世界各地で生じることになりました。このプロセスにおいて、歴史学者は集合的記憶にかかわる諸問題に直面します。それは、さまざまな集合的記憶を歴史学者としてどう評価すればよいか、集合的記憶が相対立する場合に歴史学者はどんな態度をとればよいか、といった、理論というよりは実践にかかわる問題でした。

ここから、個人あるいは集団がもつ記憶を研究対象とし、記憶と過去の事実はいかなる関係にあるか、記憶から過去の事実は導きだせるか、複数の記憶が対立する事態が生じた場合、専門家としての歴史学者は介入すべきか、実践の次元で介入する場合、いかなる介入が可能か、といった、理論と実践の双方にかかわる問題を研究する潮流である記憶研究が誕生し、多くの歴史学者の関心をひくことになりました。

ぼくらはみな、それぞれの記憶をもっています。それらを無視しない歴史学——どうでしょう？　なんとなく歴史学がちょっと身近になった気がしませんか？

ナショナル・ヒストリーとナショナリズム

ランケ学派歴史学の第二の特徴は、イギリスやドイツや日本といった国家を研究対象の単位にして主要なアクターとみなすナショナル・ヒストリーと、その結果にしてそれを支える公文書至上主義でした。

もちろん、たとえばアナール学派の創始者である二人の歴史学者のうち、ブロックの代表作はヨーロッパ全体を対象とする『封建社会』（一九三九／四〇年）であり、フェーヴルの代表作は世界全体を対象とする『大地と人類の進化』（一九二二年）だったことからもわかるとおり、研究のスケールとして国家を重視するナショナル・ヒストリーに対しては、はやくから批判がありました。

しかし、初対面の歴史学者同士が交わす最初の会話は、いまでも
「どちらの国を研究なさってるんですか？」
「フランスです。以前は一九世紀で、いまは第二次世界大戦後ですが」（ぼくの場合）
みたいな感じになることがほとんどです。ナショナル・ヒストリーは、歴史学のパラダ

イムの一部として、歴史学のなかに、あるいは歴史学者の心性に、しっかりと根付いているのです。

もちろんナショナル・ヒストリーだからといって、一概にダメということはできません。しかし、ナショナル・ヒストリーには、おおきく二つの問題があります。

第一の問題は、ナショナル・ヒストリーは、ひとびとのあいだにナショナリズムを喚起させる方向に働くことです。国家を分析単位かつ主要アクターとして歴史を描くことは、意識的にか無意識にか、ひとびとのあいだに「歴史の主人公は国家であり、国家こそが歴史を動かしてきた。ぼくらは国家の一員であり、そうであるからには、国家の役に立たなければならない」という意識、つまりナショナリズムを植えつけがちです。

先日、近くの高等学校で模擬講義をする機会があり、アルフォンス・ドーデ『最後の授業』（一八七三年）を使ってナショナリズムについて説明したところ、参加していたひとりの生徒から「ナショナリズムの良いところと悪いところはなんですか？」という質問が出ました。鋭い！

そのとおり。ナショナリズムには功罪両面があります。

ぼくらには、家族、親族、隣人、友人など、身近なひとのことをまず考えるという習性があります。国家を構成するメンバーを国民と呼び、比較的均質な国民からなる国家を国民国家と呼びますが、国民国家の場合、ぼくらがまず考える「身近なひと」は国民とかなりの程度重複します。この場合、ナショナリズムは「身近な人のことをまず考える」というぼくらの心性と合致します。これが、ナショナリズムの肯定的な側面です。

でも、「身近なひと」と国民は一〇〇パーセント一致するわけではありません。ぼく（日本国籍）の場合、会ったこともない日本国民よりは、研究を通じて親しくなった韓国の友人のほうが身近です。ところが、ナショナリズムは後者よりも前者のほうを優先させることを求めます。この傾向が強まると、自国民以外を排除の対象とみなす排外主義になります。これが、ナショナリズムの否定的な側面です。

冷戦が終結すると、それまでの「あたりまえ」がなくなり、ひとびとは自分の頭で新しい世界のありかたを考えなければならなくなりました。一部のひとびとは、途方に暮れ、国民というアイデンティティや国家（自国）という実在に頼るようになります。こうして世界各地でナショナリズムが噴出し、それでも不安が残るひとびとは排外主義化してゆきます。ここに、心理学者エーリッヒ・フロム（一九〇〇年〜八〇年）がいう「自由からの逃走」の一例をみるのは、ぼくだけでしょうか。

冷戦が終わり、世界を分断する境界がなくなって世界の一体化が進むと思ったのに、逆にナショナリズムにもとづいて世界がそれまで以上に細分化される。この事態にナショナル・ヒストリーが貢献する——二〇世紀末にぼくらが目にしたのは、こんな光景でした。

歴史学についていえば、歴史学者は、みずからの研究がナショナリズムさらには排外主義の強化につながりかねないからには、なにをなすべきか、どうすればよいか、という問題に、まさに実践の次元で取りくまなければならなくなったのです。

グローバル化とグローバル・ヒストリー

ナショナル・ヒストリーの二つ目の問題は、二〇世紀末に顕著になった現象とフィットしていなかったことです。

そう、グローバル化（グローバリゼーション）です。

一九七八年、中国は資本主義を導入することを決定します。これを「改革開放」と呼びますが、この路線は一九九〇年代に本格化し、二一世紀に入ると、中国は製品市場としても製品輸出国としても巨大な存在になります。また、冷戦の終結に伴って世界各地の社会主義国も資本主義を導入し、ヨーロッパにおける経済統合の進展と相まって、世界はひとつの市場と化してゆきます。

さらに、世紀末には科学技術分野で巨大な技術革新が生じ、ぼくらの生活を一変させます。

インターネットです。

世界各地の大型コンピュータをつないでネットワーク化することは一九六〇年代に始まりましたが、一九八〇年代後半から九〇年代にかけて、このネットワークをビジネスにもちいる動きが登場します。その後、インターネットの商用利用は、コミュニケーション、娯楽提供、売買など、ぼくらの生活のほぼあらゆる側面をカバーするようになり、今日に至っています。今やインターネットのない生活は想像できないんじゃありませんか？　そして、インターネット上に広がるバーチャル空間は、国境をこえて世界各地を覆っています。

これら事態の結果として、二〇世紀末から、ヒト、モノ、カネ、情報などが、国境をこえて世界中を大量かつ高速に移動するという現象が生じます。グローバル化です。

グローバル化はひとびとの意識にも作用し、「ものごとをグローバルに捉える」傾向が強まります。そうすると、当然「なぜ歴史学は国家を単位としているのか？　研究対象のスケールは地球（グローブ）であるべきじゃないのか？」という疑問が生まれます。

もちろん生活がグローバル化したからといって、国家を単位とする歴史つまりナショナル・ヒストリーを研究してならないわけではないし、ナショナル・ヒストリーの意義がなくなるわけでもありません。

ただし、ナショナル・ヒストリーは、グローバル化しつつあるひとびとの意識にとってピンとこなくなってきたのです。

ここから、国家ではなく地球（グローブ）を研究対象のスケールとする歴史学、すなわちグローバル・ヒストリーに対する関心が生じます。そして、歴史学者のあいだでも、この関心に対応すべく、歴史をグローバルに捉えようとする動きが始まります。

それでは、グローバルに捉えると、どんな新しい歴史がみえてくるのか。その例として、アジアとヨーロッパの優劣に関する議論をみてみましょう。

かつてウォーラーステインは、世界を丸ごととらえるという点でグローバル・ヒストリーの先駆者ともいえる世界システム論を提唱し、大航海時代に始まるヨーロッパとアジアの接触のなかで前者の優位と後者の劣位が構造化されてゆくと主張しました。

これに対して、ドイツの歴史学者にして経済学者アンドレ・グンダー・フランク（一九二九年〜二〇〇五年）は、その著『リオリエント』（一九九八年）のなかで、一六世紀から一八世紀、つまり大航海時代からイギリス産業革命までの時期をグローバルにみると、優位にあったのはむしろアジアだったと主張します。生活水準、科学技術、文化など、なにをみても、ヨーロッパ諸国よりもアジアとりわけ中国のほうが高い水準にあったのです。

それでは、ヨーロッパは、いつ、どのようにして、アジアに追いつき、追いこしたのか。この問題に取りくんだのが、合衆国の歴史学者ケネス・ポメランツ（一九五八年生）です。彼は、二〇世紀最後の年に書かれた『大分岐』（二〇〇〇年）のなかで、ヨーロッパの代表としてのイギリスとアジアの代表としての中国とを取りあげ、イギリスが中国を逆転したきっかけは産業革命だったとしたうえで、なぜ産業革命は中国ではなくイギリスで生じたのかという問いを立てます。そして、イギリスで産業革命が生じた理由として、土壌が石炭質だったこと、原材料供給地にして製品市場たるアメリカ大陸に近かったこと、この二点をあげます。土壌と立地は人知の及ぶところではありませんから、これはつまり、産業革命は偶然の産物であると主張していることです。

イギリス産業革命、さらにはその結果としてのアジアに対するヨーロッパの優位は偶然の産物だったと主張するポメランツの所説は、激しい論争を惹起することになります。どうでしょう。歴史をグローバルにみると、アジアとヨーロッパの優劣など、世界を大づかみに見る目が変わってきませんか？　そして、なんとなくワクワクしてきませんか？

一般のひとの位置や役割とは？

ランケ学派歴史学の第三の特徴は、専門家である歴史学者が資料批判を中心とする手続きを踏んで明らかにした過去の事実を、非専門家である一般のひとびとに教えこむ、という欠如モデルでした。一見あたりまえのようにみえる欠如モデルですが、この欠如モデルに対しても批判が寄せられるようになります。

そこには二つの理由があります。

まず、冷戦の終結によって旧社会主義国の歴史学者が過去の事実の解明よりは公式見解の強化を重視していたことが明らかになったり、情報化とりわけインターネットの爆発的普及によって過去に関するコンテンツが大量に供給され、非専門家でも資料に簡単にアクセスできるようになったりした結果、専門家の権威が低下したことです。

その証拠に、SNSの世界をのぞいてみると、非専門家である一般のひとびとが、オンラインで公表されている本格的な資料や専門的な論文などをもとにして、歴史学者顔負けの考察を展開している光景に出くわしませんか？

また、歴史学において記憶研究が盛んになると、「記憶の専門家とはだれか」という問題が生じました。個人的なものであれ集団的なものであれ、ある記憶についていちばん詳しいのはその記憶の保持者です。そして、記憶研究をおこなう歴史学者は、この記憶の保持者から証言を得、あるいはその根拠となるものをみせてもらうことになります。記憶の保持者はたいてい歴史学者ではありませんから、ここでは、過去の専門家である歴史学者が過去の非専門家である記憶の保持者に教えを乞うという事態が生じています。言いかえれば、記憶の保持者が記憶の専門家となり、歴史学者が記憶の非専門家となっているわけです。ここでは、専門家と非専門家の地位が逆転してしまっています。

こんな状況では、欠如モデルの説得力はいちじるしく失われてしまうでしょう。

コミュニカティヴな実践としてのパブリック・ヒストリー

それでは、歴史学者は、歴史学者でない一般のひとびととどんな関係を取りむすべばよいのか。もうちょっというと、そもそも過去の事実に関する専門家とは、いったいだれなのか。過去の事実を明らかにするとは、どんな実践なのか。

ここで、ぼくの個人的な経験をひとつ話させてください。二〇一七年初夏、国際学会に参加するためソウル（韓国）を訪れた際、ちょっと自由時間ができたので、一緒に渡韓した歴史学者の友人と「戦争と女性の人権博物館」を訪れることにしました。この博物館は、元従軍慰安婦を支援する「韓国挺身隊問題対策協議会」が開設した私立の博物館で、テーマと運営団体の性格ゆえに、ぼくらは率直にいって少々ビビりながら門をくぐりました。受付に記名帳があり、国籍を書く欄があったので、ぼくらはさらにビビりながら「日本」と書きこみ、「こんにちは」と（たしか英語で）挨拶しました。そうすると、受付にいた男性から、大略（これまたたしか英語で）「よくいらっしゃいました。わたしたちは知ってほしいのです」という言葉がかえってきました。とてもほっとし、また、ちょっとうれしかったことを、いまでも覚えています。

なんでこんな個人的な思い出話を書いたのか——それは、ホントにささやかなぼくの経験のなかに、記憶や歴史の問題を論じる際に過去の非専門家である一般のひとびとが占めるべき位置や役割、さらには専門家と非専門家の新しい関係のあり方を考えるヒントがあるんじゃないか、と思ったからです。

受付の男性は、なぜ「わたしたちは知ってほしいのです」といったのか。「わたしたちは知ってほしいのです」という言葉は、どんな意味をもっていたのか。

韓国国民の大多数にとって、従軍慰安婦は「存在した事実」であり、そのことは旧日本軍がのこしたわずかな資料や、元従軍慰安婦のみなさんの記憶にもとづく証言から明らかだとされています。ですから、いまさら日本国民がひとりやふたり博物館にやってきても、この事実が過去に存在したことにかわりはないようにみえます。

しかし。

ぼくは現代日本史の専門家ではありませんが、それでも従軍慰安婦問題の専門家たちが書いた吉見義明《よしみよしあき》『従軍慰安婦』（一九九五年）や秦郁彦《はたいくひこ》『慰安婦と戦場の性』（一九九九年）など関連書を読み、議論の主要な焦点が陸軍省副官通達「軍慰安所従業婦等募集に関する件」（一九三八年）の解釈にあることなどは理解しているつもりです。

ですから、もしもぼくが英語に堪能《たんのう》で、もうちょっと勇気と時間があったら、受付の男性に「従軍慰安婦について、日本では……」と話しかけ、議論を始めることができたかもしれません。そして、議論を続けるなかで、この問題に関する知識が、ぼくの側でも、受付の男性の側でも、バージョンアップしていったかもしれません。

知識のバージョンアップは、行って、見て、知って、意見を交換するなかでなされるのです。受付の男性の言葉「わたしたちは知ってほしいのです」は、意見の交換つまり水平的なコミュニケーションへの招待状として捉えうるし、また、捉えられなければなりません。

水平的なコミュニケーションには、上下関係はありません。これまで使ってきた言葉でいえば、専門家と非専門家の区別はないということです。参加者は自分の知識を提供し、他の参加者の知識に対して根拠を示しながら賛同あるいは批判します。こうして議論が始まります。議論のなかで、参加者は自分の知識を修正し、あるいは固執します。この修正あるいは再提示された知識をもとに、さらに議論が続きます。これが、水平的なコミュニケーションの基本的な構造です。そして、このコミュニケーションのなかに、参加者ひとりひとりがもつ知識がバージョンアップされるきっかけが内包されています。

歴史学の領域に即していえば、専門家としての歴史学者と非専門家としての一般のひとびとが存在し、両者のあいだには「過去の史実に関する専門的な知識がある」という理由で上下関係ができあがり、後者は前者の話を、疑うことなく、ありがたく伺う、というイメージは古い、ということです。

歴史学者も、歴史や記憶や過去を知りたい一般のひとびとも、同じコミュニティに属している。このコミュニティのメンバーのあいだで水平的なコミュニケーションがなされ、そのなかで、ぼくらは過去の事実に接近してゆく。もちろん新しい知識が付けくわわることはおおいにありうるから、過去の真実に至ることは難しいかもしれない（というか、ムリだろう）が、しかし過去の（真実ではなく）事実に（至るのではなく）接近することは可能である——歴史学という営為は、こんなものであるべきなのです。

これはまさに、コミュニカティヴな（コミュニケーションにもとづく）実践ですよね。

歴史学をコミュニカティヴな実践として捉えなおすことを主張する潮流は、二〇／二一世紀転換期に登場し、歴史学界に広まってゆきます。これがパブリック・ヒストリーです。パブリック・ヒストリーをいちはやく日本に紹介した菅豊《すがゆたか》（一九六三年生）は、それを「歴史の専門家である歴史学者が……公衆とともに公共空間で歴史を創造し、提示する歴史実践」と定義しています（菅豊他『パブリック・ヒストリー入門』八頁）

そうだとすると、パブリック・ヒストリーは、博物館、ネット空間、各種メディアなど、さまざまな場で実践されうることになります。「戦争と女性の人権博物館」の受付でぼくらにむけて発せられた「わたしたちは知ってほしいのです」という言葉は、パブリック・ヒストリーへの参加の呼びかけだったといえるかもしれません。

専門家でないみなさんも歴史学のアクターであり、歴史学者とともに歴史学のアウトプットを生みだす主人公だ——どうでしょう？　歴史のイメージがかわってきませんか？

＊　＊　＊

世界がかわれば歴史学もかわる。その意味では、歴史学は「実学」です。冷戦の終結とグローバル化という世界を席巻した二つの出来事は、実学である歴史学に巨大なインパクトを及ぼさずにはいませんでした。

とりわけ、冷戦の終結によって各地で個人的あるいは集合的な記憶が解凍されて「それをいかに取りあつかえばよいか」が問題となり、情報化の急速な進展によって専門家と非専門家の境界が曖昧なものになるなかで、歴史学者は（理論ではなく）実践の次元で「なにをなすべきか」という問題に直面することになりました。この問いに対する回答の代表的なものが、本章で紹介した記憶研究、グローバル・ヒストリー、そしてパブリック・ヒストリーです。

おわりに――歴史学の二一世紀へ

本書を要約すると

本書では、ランケによって歴史学が科学として制度化された一九世紀半ばから、「実践」を重視する新しい歴史学の諸潮流が登場する二〇／二一世紀転換期までの一世紀半を、「歴史って面白い？」という問いを導きの糸としながらたどってきました。

この一世紀半を簡単にまとめておきましょう。

一九世紀のドイツでは、ランケの主導のもと、実証主義、公文書至上主義、資料批判（そして、その背景あるいは結果としての記憶の排除、ナショナル・ヒストリー、欠如モデル）を三つの中核とし、科学を自称する歴史学が成立し、歴史学のパラダイムの位置につきます。ただし、この潮流つまりランケ学派には、「それは実際いかなるものだったか」を明らかにするだけで、面白くない、という問題がありました。

二〇世紀に入ると、アナール学派（フランス）、労働史学（イギリス）、世界システム論（合衆国）、比較経済史学（日本）など、歴史学は科学であるという立場はランケ学派と共有しつつも、その中核を部分的に批判する潮流が登場します。これら潮流は、同時代的な問題を解決しようとする問題意識に基づいていたり、ぼくらには予想もつかないテーマを取りあつかっていたりして、読者をワクワクさせる成果を生みだしました。

もっとも、歴史学のパラダイムの座にあるのは、依然としてランケ学派でした。

一九七〇年代になると、ポスト・モダニズムの一環として、言語論的転回とポスト・コロニアリズムが歴史学に影響を及ぼすようになりました。前者は「モノと、それを表す言葉の関係は恣意的である」と主張し、歴史学者の頭を悩ませました。後者は、現代社会のなかにさまざまな多数派・少数派関係を見出し、その原因を歴史のなかに探ることにより、社会が抱える矛盾に関心を寄せるひとびとの目を歴史に向けさせるという役割を果たしました。

ただし、歴史学のパラダイムの座には、それでもなおランケ学派があったといわなければなりません。

二〇世紀末になると、冷戦の終結やグローバル化の急速な進展を背景として、どちらかというと理論よりも実践を重視する諸潮流が登場します。冷戦の終結によって解凍された記憶のあいだの対立や矛盾を解きほぐそうとする記憶研究。ともすれば排外主義に陥りがちなナショナリズムに連なるナショナル・ヒストリーを超克することを目指すグローバル・ヒストリー。そして、万人を知識の提供者にして受容者として捉え、ひとびとのコミュニケーションのなかに過去の事実への接近可能性を見いだすパブリック・ヒストリーなどです。これらの潮流もまた、鋭い現代的関心と強い実践志向をそなえる点で、非専門家のひとびとの興味に訴えかけるものをもっていました。

これらの潮流の動向は現在進行形で語られるべきものですが、しかし、ぼくがみるところ、現時点で歴史学のパラダイムの座にあるのは、いまだにランケ学派だろうと思います。

それがなにより証拠には、日本や世界の専門的な学術雑誌に掲載される論文をみると、そのほとんどはランケ学派が確立したルールにのっとって進められた研究の成果であることがわかります。もちろん、これまでみてきたような、さまざまな新しい潮流を意識した研究成果が論文として掲載されることはありますが、今日でもなおそれらは少数派であるといわなければなりません。

ランケ学派、強し

しかし、なぜこれほどランケ学派は強いのか。

はっきりいって面白くないのに。

いろいろな理由が考えられますが、ぼくは次の二つが重要だと考えています。

まず「歴史学は科学であり、科学としてひとつの学問領域をなしている」と主張し、科学を自称するために必要な研究目的や研究手続きなどをはっきりと提示したことです。

歴史学者は他の学問領域、とりわけ物理学や生命科学などの自然科学に対して一種のコンプレックスを感じています。「コンプレックスなんかない」という歴史学者も多少は存在すると思いますが、ほとんどのひとは感じているはずです。それは、過去の事実を明らかにするという営みが古くからなされてきたものであり、その結果として「過去の事実を明らかにするなんて、だれでもできることなんじゃありませんか？　昔のことを覚えているひと、たくさんいると思いますが」という問いにさらされてきたからです。しかも、歴史学者には歴史小説家というライバルがいます。日本では、そしてたぶん世界各地でも、歴史学者よりは歴史小説家のほうが有名であり、ひとびとが過去の事実に関するイメージを形成する際に大きな影響力を与えているのではないでしょうか。

ランケ学派の主張は、こんなコンプレックスをふきとばしてくれるものとして、多くの歴史学者に受容されました。

ランケ学派が提示したやりかたにもとづいて研究を進めれば、他の学問領域と同じく「科学的なアウトプット」を社会に供給できる、というわけですから、自分たち歴史学者は非専門家のひとびとや歴史小説家とは違うぞ、と差別化できるし、また、他の学問領域にたずさわる科学者とともに科学者コミュニティに参加できるわけです。こうしてコンプレックスが解消されることになります。

もうひとつの理由は、歴史学の目的を「それは実際いかなるものだったか」を明らかにすることに限定し、面白いか否かという要素を排除したことにあります。

たしかに、物理学や生命科学といった他の学問領域について考えるとき、ぼくらの頭に「それって面白い?」という問いは存在しないんじゃないでしょうか。たとえばシュレディンガー方程式や制限酵素(DNAを切断する酵素)は面白いか否か、なんて問いかけは、少なくともぼくには想像できません。物理学や生命科学の目的は「事実を明らかにすること」であり、「面白い結果を出す」ことではありません。

そのことを考慮すると、ランケ学派の主張は歴史学を他の学問領域と同じスタートラインに立たせるものであることがわかります。もちろん、歴史学や物理学や生命科学が、予期しない結果として、面白いアウトプットを生みだすことはあるでしょう。あるいは、シュレディンガー方程式や制限酵素を面白いと感じるか否かはひとそれぞれといえるかもしれません。でも、科学を自称する学問領域における研究の目的は「事実を明らかにすること」であり、それ以上でも以下でもない、というのが、現在の科学者コミュニティのコンセンサスだと思います。

ランケ学派が強いのは、それが歴史学者のコンプレックスを癒《いや》し、また研究の目的を「それは実際いかなるものだったか」に限定することによって、歴史学もまた他の学問領域と同じ科学なのだと自認することを可能にするものだったからなのです。

高等学校「歴史総合」教科書を読みなおす・その1——本文

そうはいっても、この一世紀半のあいだ、さまざまな新しい歴史学の試みが出現しました。それらは歴史学者や、彼らの研究に対してなんの影響も与えず、研究の結果であるアウトプットになんの痕跡も残していないのでしょうか。

本書はある高等学校「歴史総合」教科書の記述を検討することから始めたので、歴史学の一世紀半をたどったあとの目で、再度、この教科書の内容を検討してみましょう。対象としては、二〇／二一世紀転換期に記憶研究、グローバル・ヒストリー、そしてパブリック・ヒストリーといった新しい歴史学の潮流が登場したことを考慮し、この時期に関する『現代の歴史総合』の本文をとりあげます。

まず、記憶研究の主要な対象となってきた冷戦終結後の東ヨーロッパ地域の歴史についてはどうでしょうか。

ロシアなど旧ソ連諸国は民主主義と市場経済を実現したものの、しばらくのあいだ経済再建に苦しんだ。膨大な核兵器が拡散することを防ぐため、アメリカはロシアを支援した。一方、かつて米ソが影響力を競った第三世界では、一部の地域が関心や支援を受けられなくなった。(『現代の歴史総合』二二二頁)

うーむ、ですかねえ。

冷戦の終結と脱社会主義化によって第二次世界大戦や社会主義期の記憶が解凍され、それが国家間あるいは国家内部での対立や紛争をもたらし、あるいは激化させたといった話は、どこにもありません。あくまでも、過去の事実が淡々と記述されています。

それでは、次に、グローバル・ヒストリーの興隆に影響を与えたグローバル化に関する記述はどうでしょうか。

現代はグローバル化の時代といわれる。一九九〇年代以降、冷戦の終結と中国の改革・開放路線の定着によって市場経済が全世界を巻き込み、緊密に一体化した地球社会(グローバル社会)が出現した……。このように、ヒト(労働者・旅行者)、モノ(商品）、カネ（資本）、情報が活発に移動・交流し、世界経済が一体化するグローバリゼーションは、海と空における国際交通システムの変革に加え、通信技術と情報処理技術の革新が融合した情報通信革命（ＩＴ／ＩＣＴ革命）が進行したことによって可能になった。（『現代の歴史総合』二一五頁）

この点は、ちゃんと書いてあるといってよい気がします。じつは、グローバル化については、『現代の歴史総合』では「情報技術革命とグローバリゼーション」という節（第六章第四節）が立てられているほど重視されています。これは、歴史学者のあいだで、少なくとも現代史についてはグローバル・ヒストリーの視点を取りいれなければ記述しがたいという見解がコンセンサスを得ていることを示唆しています。

最後に、歴史学は専門家も非専門家も参加できるコミュニケーションにもとづく実践であると捉えるパブリック・ヒストリーについては、どんな記述があるでしょうか。

……。

パブリック・ヒストリーの影響を受けて書かれた記述を『現代の歴史総合』の本文に

見出すことは、少なくともぼくにはできませんでした。

このように、高等学校「歴史総合」教科書の本文をみるかぎりでは、現代史の記述に対するグローバル・ヒストリーの影響を除くと、基本的には科学としての歴史学というランケ学派のパラダイムにのっとった記述が優越している、ということができます。そして、そこでは「それは実際いかなるものだったか」のみが記述されます。

さて。

こんな文章では、やはり「歴史って面白い?」に対して「ノー」という答えが返ってくるのも当然だろう、という気がしてきます。パラダイムというのは、それほどまでに強いということなのでしょうかね。

高等学校「歴史総合」教科書を読みなおす・その2——本文以外

しかし。

教科書には、コラムとか、資料とか、資料に付された説明文(キャプション)とか、まえがきとか……要するに本文以外の記述が含まれています。『現代の歴史総合』にも、この種の文章を大量にみつけることができます。

それでは、これら本文以外の文章において、本文を参照するだけでは見いだせなかった記憶研究とパブリック・ヒストリーという二つの新しい歴史学の潮流が反映されているか否か、反映されているとしたらどんなかたちでどの程度反映されているかについて、確認してみましょう。

まず記憶研究です。『現代の歴史総合』は、冒頭に「現代の私たちと旅」、「歴史資料とは何だろうか」という二つの大きなコラム「歴史の扉」が置かれています。そのうち、記憶研究に関わりそうなのは後者ですが、そこには次のような文言があります。

過ぎさったできごと、つまり過去の大部分は実は忘れられてしまうのですが、あとから人々が過去を振り返って書き記すことで、歴史になっていきます。その手がかりとされるのは人々の記憶、そして当時の記録、出版物、図像(絵画や写真)など、さまざまな歴史資料です。(『現代の歴史総合』一〇頁)

そのうえで、大日本帝国憲法の発布（一八八九年）を例として、公文書、お雇い外国人の日記、新聞、回想録などを引き、この出来事がさまざまなかたちで捉えられていたことを明らかにしています。ここには、記憶の問題も歴史学の守備範囲であることが、かすかにではありますが触れられています。

そしてパブリック・ヒストリーですが、『現代の歴史総合』は「現代的な諸課題の形成と展望」というコラムで終わります。このコラムは「これまでの学習のなかで、私たちは歴史的な見方や考え方を身につけてきた。こうした見方や考え方を生かして私たちの未来を展望してみよう」（『現代の歴史総合』二四二頁）という一文から始まり、「歴史的な見方・考え方を生かして考える」ことの具体的な方法として「問いを立てる。課題の設定。仮説の設定。資料の収集・分析。考察。まとめ・表現」という手続きが示されています。

この手続き自体は、ランケ学派が提示する科学としての歴史学のものと変わりません。つまりパラダイムの内部にあるものです。

ただし、ここから読みとりたいのは、専門家である歴史学者からなる著者たちが、非専門家である高校生にも歴史学の研究手続きを共有してもらいたいという強い意図をもっている、ということです。これは、専門家が非専門家に教えを垂れるという欠如モデルの対極に位置するものであり、非専門家に対する「一緒に歴史しよう（Do history together!!）」という誘いの言葉とみなされるべきものです。ここにパブリック・ヒストリーへの志向性をみるのは、ひとりぼくだけでしょうか。

思い出してほしいのですが、本書第一章でふれたとおり『現代の歴史総合』の前書き「歴史総合を学ぶみなさんへ」は「そして最終的には、人間社会の近い過去を学び、現在について考えるだけでなく、ぜひとも将来についても思いを馳《は》せてください。皆さんはどのような歴史をつくっていきたいですか」（『現代の歴史総合』一頁）という一文で締めくくられています。これは、歴史を学び研究するのみならず「歴史を作ってゆくことに参加しよう（Make history together!!）」という呼びかけにほかなりません。

歴史学の二一世紀へ

高等学校「歴史総合」教科書の内容から判断するかぎり、現在の歴史学は、面白さや有益性や公共性（ひろく非専門家に開かれていること）は脇において「それは実際いかなるものだったか」に課題を限定するランケ学派歴史学がパラダイムの位置にあり、しかし、記憶研究、グローバル・ヒストリー、パブリック・ヒストリーなど新しい諸潮流が徐々に浸透しつつある、という状況にあるといえます。

そして、ぼくは、この判断は、この教科書のみならず歴史学界の全体を眺めわたしたときにも妥当すると考えています。そんなことを考えながら歴史学のアウトプットをみてもらうと、存外「歴史って面白い」ことを感じとってもらえるんじゃないか——そんな期待を込めて、ですが。

今後二一世紀が進展してゆくなかで、歴史学がどうなってゆくのか、ひろく「面白い」と思ってもらえるようになるのか、それとも現状が続くのか、ぼくには確たることはいえません。でも、パラダイムの位置にある潮流が交代する「パラダイム・シフト」は、別名「科学革命」と呼ばれているように、突然、だれも予想していなかったときに生じます。もしかすると、歴史学の二一世紀はパラダイム・シフトの世紀になるのかもしれません。

ちなみに、パラダイム・シフトが生じたか否かを見分けるサイン（徴候）は、高等学校のみならず小中高の教科書の（ここが大切ですが）本文の記述が変化するか否かです。歴史学についていえば、これまでみてきたとおり、「歴史総合」教科書の本文の書かれかたはそれほど変わっていませんから、ぼくらは「パラダイム・シフトいまだ成らず」と判断してよいことになります。

もちろん新しければよいというわけではありません。歴史学のみならずすべて科学はパラダイム・シフトによって進化しますが、進化は進歩を意味しません。変わることは変わるが、それが良い方向に変わるとはいえない、ということです。

それでも、科学は進化することによって生命力を保ってきました。進化しない、つまり変わらない科学はいずれ消えてゆきます。

このことは、歴史学についても妥当します。歴史学が生命力を保ち、生き生きとしていなければ、その研究のアウトプットが「面白い」わけはありません。「歴史って面白い」と思ってもらうためには、歴史学が進化することが必要です。そして、進化の萌芽《ほうが》は、本書で論じてきた記憶研究、グローバル・ヒストリー、パブリック・ヒストリーをはじめ、ぼくらの目の前にあるのです。

歴史学の二一世紀が、「それは実際いかなるものだったか」という問いを手放すことなく、しかし面白さや有益性や公共性にも配慮した新しいパラダイムが出現する時代となるのか否か――ぜひみなさんも見守っていてほしいと思います。

参照あるいは言及した文献

＊代表的なものだけ。すべて日本語で読めますが、ガチな本ばかりなので、いきなり手に取ることはあまりお勧めしません。

第一章

久保文明他『現代の歴史総合』（山川出版社、二〇二二年）
アルトーグ、フランソワ『歴史の体制』（伊藤綾訳、藤原書店、二〇〇八年、原著二〇〇三年）

第二章

松沢裕作『重野安繹と久米邦武』（山川出版社・日本史リブレット、二〇一二年）
久米邦武「神道ハ祭天ノ古俗」（『史學會雜誌』上中下、第二編二三号、同二四号、同二五号、一八九一年）

第三章

ブロック、マルク『王の奇跡』（渡辺昌美他訳、刀水書房、一九九八年、原著一九二四年）
フェーヴル、リュシアン『歴史のための闘い』（部分訳、長谷川輝夫訳、平凡社・平凡社ライブラリー、一九九五年、原著一九五二年）

トムスン、エドワード『イングランド労働者階級の形成』（市橋秀夫他訳、青弓社、二〇〇三年、原著一九六三年）
ブローデル、フェルナン『地中海』（全一〇巻、浜名優美訳、藤原書店、一九九九年、原著一九四九年）
ウォーラーステイン、イマニュエル『近代世界システム』（全四巻、川北稔訳、名古屋大学出版会、二〇一三年、原著一九七四／一九八〇／一九八九／二〇一一年）
大塚久雄『大塚久雄著作集』（全一三巻、岩波書店、一九八六年）
阿部謹也『ハーメルンの笛吹き男』（筑摩書房・ちくま文庫、一九八八年、初版一九七四年）
千葉治男『義賊マンドラン』（平凡社、一九八七年）
喜安朗『パリの聖月曜日』（岩波書店・岩波現代文庫、二〇〇八年、初版一九八二年）
カーソン、レイチェル『沈黙の春』（青樹簗一訳、新潮社・新潮文庫、一九七四年、原著一九六二年）
リオタール、ジャン『ポストモダンの条件』（小林康夫訳、水声社、一九八九年、原著一九七九年）

第四章

ソシュール、フェルディナン『ソシュール一般言語学講義』（町田建訳、研究社、二〇一六年、原著一九一六年）
スコット、ジョーン『ジェンダーと歴史学』（荻野美穂訳、平凡社・平凡社ライブラリー、二〇〇四年、原著一九八八年）
ステッドマン・ジョーンズ、ガレス『階級という言語』（長谷川貴彦訳、刀水書房、二〇一〇年、原著一九八三年）
エヴァンズ、リチャード『歴史学の擁護』（今関恒夫他訳、筑摩書房・ちくま学芸文庫、二〇二二年、原

著一九九七年）
遅塚忠躬『史学概論』（東京大学出版会、二〇一〇年）
クーン、トマス『科学革命の構造』（中山茂訳、みすず書房、一九七一年、原著一九六二年）
サイード、エドワード『オリエンタリズム』（今沢紀子訳、平凡社・平凡社ライブラリー、一九九三年、原著一九七八年）
藤川隆男編『白人とは何か？』（刀水書房、二〇〇五年）

第五章

フクヤマ、フランシス『歴史の終わり』（上下巻、佐々木毅訳、三笠書房、二〇二〇年、原著一九九二年）
保苅実『ラディカル・オーラル・ヒストリー』（岩波書店・岩波現代文庫、二〇一八年、初版二〇〇四年）
アンダーソン、ベネディクト『想像の共同体』（白石隆他訳、書籍工房早山、二〇〇七年、原著一九八三年）
ザスラフスキー、ヴィクトル『カチンの森』（根岸隆夫訳、みすず書房、二〇二二年、原著二〇〇六年）
ブロック、マルク『封建社会』（堀米庸三訳、岩波書店、一九九五年、原著一九三九／一九四〇年）
フェーヴル、リュシアン『大地と人類の進化』（上下巻、飯塚浩二訳、岩波書店・岩波文庫、一九七一年、原著一九二二年）
ドーデ、アルフォンス『最後の授業』（南本史訳、ポプラ社・ポプラポケット文庫、二〇一五年、原著一八七三年）
フロム、エーリッヒ『自由からの逃走』（日高六郎訳、創元社、一九五一年、原著一九四一年）
フランク、アンドレ『リオリエント』（山下範久訳、藤原書店、二〇〇〇、原著一九九八）

ポメランツ、ケネス『大分岐』（川北稔監訳、名古屋大学出版会、二〇一五年、原著二〇〇〇年）
吉見義明『従軍慰安婦』（岩波書店・岩波新書、一九九五年）
秦郁彦『慰安婦と戦場の性』（新潮社・新潮選書、一九九九年）
菅豊他『パブリック・ヒストリー入門』（勉誠出版、二〇一九年）

あとがき

ちくまプリマー新書編集部の橋本陽介さんから、世界史の学びかたについての本を書きませんかというお誘いを頂いたのは、あれは今年三月も半ばのことだったでしょうか。ちょっと考えたすえ、二つの理由から橋本さんのお誘いを受けることにしました。

ひとつ目は、ここのところ歴史学はおおきく変わりつつあるのではないかという気がしてきたことです。本書で取りあげた記憶研究（メモリー・スタディーズ）、グローバル・ヒストリー、パブリック・ヒストリーなど、さまざまな潮流が二〇／二一世紀転換期に登場し、あるいは人口に膾炙《かいしゃ》してきました。ほかにも、エゴ・ドキュメント（自伝、手紙、日記など、一人称で書かれた資料）をもちいた研究、ビッグ・ヒストリー（宇宙の誕生から今日までの全歴史を研究する潮流）、感情史学（認知科学・脳科学などの知見も利用しながら、過去の人間の感情にアプローチする潮流）など、二一世紀の歴史学は百花繚乱《ひゃっかりょうらん》状態といっても過言ではありません。そうだとすると、歴史学については、理論も方法論（手続き）も歴史もおおきく変わりつつあることが予想されます。ぼやぼやしていられないぞ、ということです。

ふたつ目は、二〇一八年度に実施された学習指導要領の改訂によって、日本の歴史教育がおおきく変貌する可能性が生じたことです。この改定によって、高等学校地理歴史科には日本と世界の近現代史をシームレスに学ぶ「歴史総合」という科目が必修科目として設置されましたが、その三つの目標のうち、三番目は「歴史の大きな転換に着目し、単元の基軸となる問いを設け、資料を活用しながら、歴史の学び方（「類似・差異」、「因果関係」に着目する等）を習得する」こととされています。これはつまり、生徒も歴史する（Do history）ということです。それまで「暗記科目」のイメージが強かった高等学校歴史科目について「歴史する」ことがうたわれるとは！　たまたま二〇二一年度から近くの公立高校の学術アドバイザーを務めることになったという事情もあり、ここでもまた、ぼやぼやしてはいられないぞ、という気がしてきたのでした。

それでは、どんなアプローチで書こうか。

ここで役立ったのが、橋本さんとの話のなかでどちらともなく出てきた「歴史って面白いですかねえ」という疑問でした。歴史を面白いと感じるひとは、あまり多くないだろう。それはなぜか。その理由を知るには、歴史を研究する歴史学の来し方を顧みるといいいんじゃないか——というわけで、歴史学の歴史である「史学史」を「なぜ面白くないのか」という観点からたどってみようという本書の骨格が固まりました。

さて、本書の目論見《もくろみ》は成功したか——判断を下すのはもちろん読者の皆さんですが、ヒントを与えてくださった橋本さんに心からお礼もうしあげます。

最後に、私事になりますが、学ぶことの楽しさと、日々の生活のなかにささやかな喜びをみつけることの大切さを教えてくれつつ、本書刊行を目の前にして旅立った母・小田中圭子に、本書を捧《ささ》げます。

二〇二二年夏　杜《もり》の都にて

小田中直樹

chikuma primer shinsho

ちくまプリマー新書410

歴《れき》史《し》学《がく》のトリセツ——歴《れき》史《し》の見《み》方《かた》が変《か》わるとき

二〇二二年九月十日　初版第一刷発行

著者　小田中直樹（おだなか・なおき）

装幀　クラフト・エヴィング商會

発行者　喜入冬子

発行所　株式会社筑摩書房
東京都台東区蔵前二-五-三　〒一一一-八七五五
電話番号　〇三-五六八七-二六〇一（代表）

印刷・製本　中央精版印刷株式会社

ISBN978-4-480-68436-3 C0220 Printed in Japan